AL TRE STORIE

Inventario della nuova narrativa italiana

fra anni '80 e '90

A cura di

**Raffaele Cardone
Franco Galato
Fulvio Panzeri**

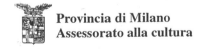 **Provincia di Milano
Assessorato alla cultura**

MARCOS Y MARCOS

INDICE

Accade spessso che introduzioni e prefazioni a saggi critici sulla letteratura, l'arte, il cinema rimarchino il risvolto epocale del contenuto del testo, quasi che sia obbligo sottolineare qualsiasi periodo storico come "straordinario", "di rottura" o, quanto meno, "di transizione".

In questa sede, la nostra sola ambizione è quella di presentare un percorso che consenta agli operatori delle biblioteche, ma non solo a loro, di orientarsi nel vasto mondo della "giovane letteratura italiana", soprattutto per cogliere la varietà e la complessità delle proposte che vanno ben oltre i picchi rappresentati dai best seller nostrani.

Questa iniziativa, per altro, si inserisce a pieno titolo nelle numerose manifestazioni e pubblicazioni da noi dedicate alla valorizzazione e alla diffusione della lettura, a sostegno del lavoro spesso eroico (e non è iperbolico) che i bibliotecari compiono nelle loro attività quotidiane.

C'è, in più, lo stimolo di sostenere una letteratura che viene spesso considerata minore, quanto meno per ignoranza o per accidia, e che merita sicuramente migliore e maggiore attenzione.

Nel lavoro di ricerca ci hanno aiutato tantissimo gli editori, e di questo gliene siamo grati, mettendoci a disposizione i volumi ospitati dalla mostra.

Senza il loro essenziale contributo l'iniziativa non avrebbe preso forma, non avremmo potuto presentare al pubblico, al di là dei percorsi e dei contributi critici ospitati dal catalogo, la fisicità dei libri, le loro copertine, la loro grafica che costituiscono una parte fondamentale della recente storia della letteratura italiana.

Daniela Benelli
Assessore alla cultura
della Provincia di Milano

Tutti i numeri dell'inventario.
La nuova narrativa e l'editoria

di Raffaele Cardone

Per chi voglia mettersi nella prospettiva di un'indagine editoriale, la "nuova narrativa" non esiste. Non è un'affermazione paradossale, se si pensa che i libri ai quali ci si riferisce quando si parla di questo fenomeno culturale non hanno una collocazione che li distingua dal più generico territorio della narrativa italiana. La nuova narrativa, infatti, non è un genere letterario, non è organizzata in specifiche collane, non fa riferimento a case editrici specializzate e non dispone di un proprio settore in libreria o in biblioteca. Inoltre, per quanto sia seguita da numerosi lettori, non ha un pubblico identificabile, come può essere quello della letteratura di genere o dei libri per ragazzi.

Vien da sé che le consuete indagini editoriali non sono di grande aiuto proprio perché affrontano solo specifici settori. Del resto, ogni discorso che abbia pretese statistiche su un fenomeno così polverizzato e difficilmente identificabile corre il rischio di una scivolosa superficialità. Più che una vera e propria indagine statistica (che non potrebbe comunque utilizzare dati attendibili di tiratura e di vendita, vista la resistenza degli editori a fornire indicazioni al riguardo) si può quindi azzardare una lettura "tra le righe" del catalogo bibliografico, procedendo ad una prima classificazione.

Al di là dei fumi sollevati dalla stampa sull'ultima leva dei giovani narratori (pulp, trash, arrabbiati ecc.) e delle polemiche letterarie, rimane infatti da verificare se la nuova narrativa sia anche un fenomeno editoriale.

La nuova narrativa in cifre

La sezione bibliografica dedicata agli autori — sulla quale si basano le riflessioni a seguire — raccoglie, a partire dalla metà degli anni Settanta, tutte le opere di narrativa (con la sola esclusione delle antologie) delle quali si è avuta notizia. Vale a dire, tutti quei titoli riconducibili a un'idea di nuova narrativa che hanno avuto un'apprezzabile distribuzione nei canali di vendita e un'attenzione, anche minima, da parte della critica e della stampa. Come criterio di massima, ci si è limitati alle opere di quegli autori che hanno esordito dopo il 1975 o che comunque si sono affermati dopo quella data. Nella bibliografia (si veda, per le fonti delle informazioni bibliografiche, la nota di introduzione) sono così registrati 1.350 titoli, 530 autori e 180 case editrici, che delineano con un buon margine di approssimazione le coordinate della nuova narrativa "dalle origini ai giorni nostri".

A giudicare dal ritmo delle pubblicazioni, (tab. 1) i nuovi autori hanno guadagnato credito (quantomeno un credito commerciale) piuttosto lentamente. I titoli pubblicati fra il 1975 e il 1979 sono appena una cinquantina, sebbene si registri, di anno in anno, un progressivo incremento. Nei cinque anni successivi — quelli in cui si inizia a parlare di "ripresa narrativa" — ci si assesta fra le 10 e le 15 novità l'anno, ma già una piccola parte di questi titoli (in media, 3 all'anno) è oggetto di ristampe e di edizioni successive.

È a partire dal 1986 che la produzione editoriale registra una crescita significativa: di anno in anno aumenta il numero dei titoli pubblicati (fra novità e ristampe) fino a sorpassare la soglia dei 200 nel 1995. Pur tenendo conto del generale incremento della produzione che ha caratterizzato il panorama librario dello scorso decennio, si vede come la nuova narrativa segni comunque tassi di crescita di gran lunga superiori alla media, con un'apprezzabile vitalità nella proposta e, quindi, aspettative di vendita da parte delle case editrici.

La misura del successo

Sebbene le aspettative di vendita indichino solo in che misura l'industria editoriale investe sulla nuova narrativa, senza svelare il reale riscontro di pubblico, si possono trarre dati indicativi dell'effettivo successo dei titoli, anche in assenza di dati relativi al venduto: sia attraverso il numero delle edizioni successive, sia cercando di interpretare il passaggio degli autori a case editrici di dimensioni maggiori.

La proposta di un titolo in un'altra edizione, all'interno di uno stesso catalogo o presso un altro editore, è, infatti, già indicativa di successo: le vendite sono state soddisfacenti, l'autore può contare su un certo seguito e, nel caso dei tascabili (la maggior parte delle edizioni successive), cerca di rivolgersi a un pubblico più ampio. Dal '75 al '96, gli autori che hanno avuto almeno un titolo in edizione successiva sono 77, pari al 14,5%; nello stesso periodo, i titoli che hanno avuto più di una edizione sono stati 185 (155 seconde edizioni, 30 terze edizioni) pari al 14% circa del totale dei titoli pubblicati. Di questi, 57 sono stati ripubblicati presso altre sigle, segno che, nell'acquisire un autore già lanciato, il nuovo editore conta su un effetto volano per riproporre le opere precedenti, trainate dall'ultimo titolo.

Nell'insieme, sembra dunque questo il nocciolo del mercato della nuova narrativa rispetto al pubblicato: una settantina di autori ben conosciuti e circa 200 titoli forti.

Chercher l'auteur

Concentriamo ora l'attenzione sull'attività dell'autore — ovvero sul ritmo delle pubblicazioni e sul passaggio da un editore all'altro — per capire a quanto possa essere allargata la quota degli autori rappresentativi del mercato, includendovi gli autori non molto conosciuti e i titoli che hanno presumibilmente espresso vendite non eclatanti ma apprezzabili.

Gli autori di più di un'opera — per i quali si può affermare che hanno raggiunto un riconoscimento di pubblico tale da giustificare altre pubblicazioni — sono 268, pari al 50% circa degli autori selezionati. Di questi, 102 hanno pubblicato due titoli; 41 tre titoli e 125 quattro o più titoli.

Si aggiungono così ai 70 autori — per così dire — di prima fascia, 200 autori che possono realizzare vendite apprezzabili e che dunque sono abbastanza rappresentativi di una realtà di mercato. Per lealtà verso le ultime leve dei nuovi narratori, dobbiamo anche tener conto degli esordienti dal '94 ad oggi che hanno ragionevolmente una buona aspettativa di passare all'opera seconda: in tutto una trentina. Infine, il percorso degli autori di casa editrice in casa editrice fornisce un altro indice dell'attività editoriale e qualche elemento di conferma. Dei 268 autori con oltre un titolo, 211 hanno pubblicato per almeno due editori. Più dettagliatamente, 66 sono passati da un piccolo editore ad un altro piccolo editore; 66 da un piccolo editore ad uno medio/grande; 9 da uno medio/grande a un piccolo; 70 da un grande editore a un altro grande editore. Quest'ultimo dato trova una parziale corrispondenza nei 70 autori individuati come di "prima fascia", molti dei quali oggetto di frequenti contese fra grandi gruppi editoriali.

Più in generale, il rapporto di fidelizzazione ad una sigla è abbastanza basso, ma permette anche di far chiarezza su una frequente lamentela dei piccoli editori, cioè che i grandi gruppi editoriali — forti di poter offrire anticipi consistenti — "rubino" sistematicamente gli autori alle sigle minori non appena questi dimostrino una qualche possibilità di successo. Come si vede, il passaggio di un autore ad altro editore è equamente ripartito fra tutte le fasce editoriali e rappresenta una normale dinamica della concorrenza. Non si può tuttavia negare che un buon numero di autori "che vendono" sia passato rapidamente agli editori maggiori.

L'attività della piccola editoria non sembra però limitarsi al ruolo di talent-scout: dei 32 editori che hanno almeno 10 titoli di nuovi autori attualmente in commercio (tab. 2), oltre la metà sono editori piccoli e medi, con all'attivo anche qualche best seller.

Effimeri o famosi

Proprio la speranza del best seller, anima in parte l'attenzione delle case editrici verso la nuova narrativa. Il nuovo narratore (esordiente o non affermato) "costa poco", talmente poco che non è difficile recuperare qualche milione di anticipo. Si spiega forse in questo modo il battage su autori di modeste risorse letterarie. Sotto questo aspetto, la nuova narrativa è un fenomeno editoriale che andrebbe ridimensionato: quel 50% di autori fermi al libro d'esordio, quelle centinaia di titoli che non hanno trovato un pubblico potevano forse essere evitati. L'industria editoriale crede ancora nei miracoli per il semplice fatto che ogni tanto accadono e, quindi, come darle torto se tenta con un autore che potrebbe trovare un suo pubblico?

Ma pare necessaria anche una maggior lungimiranza rispetto ai cambiamenti in atto nelle dinamiche del mercato. È probabile che la decisione dell'Antitrust in materia di concorrenza e le nuove regole commerciali che stanno prendendo piede nei rapporti tra grandi editori e librerie spingeranno a puntare solo su autori affermati, riducendo quindi l'attività di ricerca sui nuovi narratori. In questo senso sarebbe opportuno non indulgere alle mode del momento e dare la priorità a chi è in grado di esprimere una buona tenuta narrativa, creando così i nuovi autori di domani. Per adesso possiamo solo chiederci: quelli che passeranno il setaccio della pubblicazione saranno i più bravi o i più glamour?

Tab. 1:
Titoli per anno
(compreso edizioni successive)

1970	1
1971	1
1972	3
1973	2
1974	4
1975	2
1976	9
1977	8
1978	14
1979	16
1980	13
1981	20
1982	9
1983	18
1984	20
1985	19
1986	38
1987	46
1988	60
1989	62
1990	83
1991	113
1992	118
1993	141
1994	178
1995	208
1996	144 (ad agosto)

Tab. 2
Titoli per editore - *oltre i 9 titoli*
(edizioni in commercio)

Mondadori	143
Feltrinelli	107
Einaudi	94
Rizzoli	72
Marsilio	63
Bompiani	60
Garzanti	53
Theoria	43
Sellerio	38
Baldini & Castoldi	36
Transeuropa/Il Lav. Ed.	35
Granata Press/Libri	33
Nord	28
Giunti	25
Bollati Boringhieri	20
La Tartaruga	19
Marcos y Marcos	18
Frassinelli	16
Anabasi	15
Tranchida	14
Camunia	13
Leonardo	13
Longanesi	13
Stampa Alternativa	13
Rusconi	12
e/o	11
Mobydick	10
Sperling & Kupfer	10
Vallecchi	10
Guaraldi	9
Interno Giallo	9

13

Variazioni da un'anticamera postmoderna. Scenari & trend della narrativa italiana tra anni Ottanta e Novanta

di Fulvio Panzeri

Raccontare la "nuova narrativa" di questi decenni, presuppone di seguire due percorsi: le caratteristiche del fenomeno editoriale che, in sé, ha promosso la crescita di nuove forme di narrazioni e i modelli letterari intuiti dagli scrittori.

Retrospettiva editoriale

Tra il 1975 e il 1979, dobbiamo anzitutto ricordare il lavoro della casa editrice Marsilio, che propone una collana di autori quasi tutti o all'esordio o all'opera seconda (Giovanni Dusi, *Il gallo rosso;* Nerino Rossi, *La neve nel bicchiere*; Carla Cerati, *La condizione sentimentale*), premiata da un insperato successo di vendita. Debuttano da Marsilio, tra gli altri, Giovanni Pascutto, Barbara Alberti, Mario Biondi e Antonio De Benedetti. È innegabile, comunque, che un ruolo cardine in quegli anni, quasi da consulenza annuale alle case editrici, lo abbia svolto il premio "L'Inedito" (poi soppresso negli anni Ottanta per mancanza di dattiloscritti accettabili) al quale bisogna attribuire il merito d'aver fatto conoscere molti autori come Antonio Tabucchi, Barbara Alberti, Giorgio Montefoschi, Giovanni Pascutto e Franco Bompieri che, negli anni Ottanta, avrebbero consolidato le loro posizioni a livello editoriale.

Su altri fronti vanno poi ricordate le esperienze di singole collane quali, "Il pane e le rose" di Savelli e i Franchi Narratori di Feltrinelli, nelle quali si pubblicano soprattutto testi di autori marginali o, comunque, estranei all'establishment letterario. Sottolinea Cesare De Michelis: «La collana dei

"Franchi narratori" raccoglie quei testi "irregolari" rispetto ai parametri sia della letteratura spuria, sia del semplice documentarismo, in cui si raccontano esperienze direttamente vissute dagli autori stessi, e che rappresentano "spaccati di problematiche profondamente vincolate alla realtà storico-sociale della situazione culturale di oggi": così il risvolto di copertina inventava all'inizio degli anni Settanta, un genere nuovo di letteratura che ebbe per anni qualche fortuna, suscitando curiosità, discussioni e polemiche. Era quella che fu chiamata la letteratura "selvaggia", in omaggio allo "spontaneismo" che allora sembrava essere capace di cambiare il destino del mondo».[1]

La svolta sostanziale, per quanto riguarda la scoperta di una nuova generazione di narratori italiani, avviene alla fine degli anni Settanta con la pubblicazione, nel 1979, di *Boccalone* di Enrico Palandri, edito dalla piccola editrice L'erba voglio e con la proposta da parte di Feltrinelli, nel 1980, di Claudio Piersanti con *Casa di nessuno,* di Pier Vittorio Tondelli con *Altri libertini* e di Giuseppe Conte con *Primavera incendiata.* Un servizio giornalistico così delineava il fenomeno: «Alla Feltrinelli il libro di Tondelli ha inaugurato un nuovo spazio nella collana di narrativa, la sezione italiani. Non è stata una decisione presa per assecondare una moda nascente, puntualizza il direttore editoriale Leo Paolazzi. In tutti questi anni non abbiamo mai smesso di leggere manoscritti, ma solo l'anno scorso ci siamo accorti che qualcosa stava cambiando, che tra i franchi narratori che hanno dominato gli anni Settanta e i nuovi autori di oggi c'era un salto». Il "salto" di cui si parla così lo spiega Tondelli stesso: «Un romanzo non nasce dalla sola voglia di comunicare le proprie vicende. È un'avventura nel linguaggio, un'operazione letteraria. Oggi queste antiche verità stanno tornando a galla».[2]

Anche Giuseppe Bonura indica questa data come rappresentativa di un cambiamento di direzione: «C'è un anno che considero cruciale in riferimento al sorgere di una nuova narrativa o narratività. Un anno che, guarda caso, coincide con l'inizio del decennio scorso. È il 1980. È l'anno de *Il nome della rosa,* libro magari importantissimo ma solo se lo si considera dal punto di vista della sociologia della cultura. Con Eco, in effetti, comincia il trionfo della scrittura euforica e a-ideologica, di una scrittura cioè che accantona tutte le problematiche profonde della letteratura, compresa la problematica dello stile, in favore di una spavalda esibizione del lato comunicativo della parola. Con Eco comincia anche quella fuga dal presente che caratterizza ancora gran parte della narrativa attuale (e basti pensare ai tanti romanzi storici...). Ma nel 1980, e prima ancora della pubblicazione e dell'ascesa travolgente di Eco, esce un libro di racconti molto bello, con una marcata impronta generazionale. Mi riferisco ad *Altri libertini* di Pier Vittorio Tondelli, pubblicato nel gennaio 1980 (...). Questo "romanzo a racconti" ha anticipato di parecchi anni la moda del minimalismo americano, cosa che non è stata quasi mai o mai sottolineata dalla critica. Il mondo di Leavitt, di Bret Easton Ellis, di certo McInerney (e anche quello del solitario e originalissimo Raymond Carver) è incluso in parte nel mondo di Tondelli».[3]

In quegli anni, Savelli pubblica *Inverno* di Pino Corrias e Einaudi *Treno di panna* di Andrea De Carlo e *Lo stadio di Wimbledon* di Daniele Del Giudice, presentati da Italo Calvino. Si tratta di exploit solitari, che mettono in luce scrittori che propongono, a diversi livelli, modi inusuali di approccio alla letteratura. Il loro successo è confermato anche da lusinghieri giudizi critici e da una buona accoglienza da parte del pubblico dei lettori.

Inizia così a crescere la febbre del ricambio con diverse operazioni promosse anche della grande editoria. Mondadori, per esempio, tenta ben due volte, nella prima metà degli anni Ottanta, di imporsi con operazioni promozionali. Nel 1983 si assiste al tentativo di mettere in luce contemporaneamente quattro autori, sorretti da una massiccia campagna di lancio e l'avallo di scrittori come Leonardo Sciascia, Natalia Ginzburg, Giuseppe Pontiggia e Pietro Citati. L'operazione, però, non funziona, anche se gli autori (Eugenio Vitarelli, Vincenzo Pardini, Luigi Del Re, Santamaura) meritano un loro riconoscimento. Il gioco di squadra non premia e affonda così un tentativo che poteva essere interessante, soprattutto se avesse puntato anche su altri ambiti di ricerca. Goffredo Fofi così sottolineava all'epoca alcune tra le ragioni del fallimento: «(...) un'operazione editoriale che non si è tradotta poi in un grande successo. E non si è tradotta perché era un'operazione insensata: il grosso gruppo editoriale, in questi casi, ha minori capacità di incidere di un apparato piccolo. La Garzanti può imporre un giovane autore al mercato, la Mondadori non può, perché ha troppi autori. Faccio un esempio. Alla Garzanti i nuovi romanzi che escono ogni anno sono, tra italiani e stranieri, otto-dieci. Di italiani ce ne sono in media quattro o cinque. Una casa editrice di medie dimensioni su questi quattro o cinque può giocare molto, spendendo in pubblicità, in rapporti con la stampa, in televisione, nell'usare il suo prestigio e il suo nome per appoggiare questi nuovi titoli e questi nuovi autori. Se la Mondadori di titoli ne pubblica duecento all'anno, senza contare le collane gialle o rosa, in un mercato librario così ristretto come il nostro finisce per rischiare di farsi concorrenza da sé: per cui, in questo caso, il grosso apparato è perdente rispetto al piccolo, perché il piccolo può seguire e sorreggere il nuovo autore mentre il grosso, oltre tanto, non può, essendoci altri autori o altri titoli da seguire».[4]

In Mondadori, un nuovo tentativo di svecchiamento, a metà tra postmorderno e selvaggio, è affidato a Barbara Alberti. Nella ristrutturazione della collana economica degli Oscar a lei viene affidata una sezione di "Libri-cinema", giovani, svelti, scritti proprio come se fossero sceneggiature di film. I primi due titoli parlano da sé: *Sbrigati mama* di Margherita Margherita (che poi sarebbero la stessa Alberti, Lella Artesi e Caterina Saviane) e *Tahiti Bill* di Bruno Gaburro che, purtroppo, deve affrontare la fatica da solo. Interessanti sembrano le dichiarazioni della curatrice e della direzione aziendale. Nel comunicato stampa che annuncia la nascita della collana si dice anche che questa ha «un programma semplice e ambizioso: presentare al pubblico autori inediti o esordienti o comunque fuori dal giro dell'editoria che conta». L'iniziativa ha tuttavia vita breve, forse anche a causa di copertine discutibili, e la collana chiude dopo soli tre titoli.

La ricerca del best seller giovanile non si ferma: nel 1988 nasce "Mouse to mouse", collana diretta da Pier Vittorio Tondelli che, nonostante le vendite dei primi due titoli — *Hotel Oasis* di Gianni De Martino e *Fotomodella* di Elisabetta Valentini — siano di tutto rispetto, 4.500/5.000 copie, viene subito chiusa. Tondelli così l'aveva pensata: «Mouse to Mouse è il nome di una serie editoriale, non tanto di una collana con caratteristiche letterarie ben precise. Mouse to Mouse vuole invece esplorare quei territori culturali non immediatamente riconducibili alla letteratura e alle sue pratiche, luoghi non marginali, non emergenti nella società. Cerca quindi le narrazioni nel mondo della moda, della pubblicità, delle arti figurative, dello spettacolo, del rock... Mouse to Mouse privilegia i giovani autori e si offre come uno strumento agile nelle mani degli esordienti di talento. Mouse to Mouse vuole narrazioni che esprimano i cambiamenti della società e della scrittura. Vuol render conto di come il piacere della letteratura si diffonda fra i giovani e gli emergenti. Di come la scrittura sia una pratica vitale, per costoro, nel cercare la verità».[5]

Nel 1989 parte "Oscar Originals", che non è una collana per esordienti, ma ospita frequentemente nuovi narratori: la sezione del "Nero Italiano" ne lancia addirittura quattro in un'unica uscita, creando una presenza troppo massiccia in libreria che forse non riesce a rendere giustizia agli autori stessi. Tuttavia il primo titolo arriva presto in vetta alle classifiche (300.000 copie vendute al 31 dicembre 1989): si tratta *Volevo i pantaloni* della giovanissima siciliana Lara Cardella, scoperta attraverso un concorso di "Cento cose". Seguirà poi l'exploit, con ampi consensi di critica e di pubblico, di Silvia Ballestra, con *Compleanno dell'iguana*.

Nella seconda metà degli anni Ottanta, tra il 1985 e il 1990, per la grande editoria è quindi divenuto importante promuovere lo scrittore esordiente.[6] Secondo un rapporto 1990 dell'agenzia Livingstone «l'impressione è che il mercato della narrativa d'autore italiano si stia caratterizzando alla fine degli anni Ottanta come un segmento circoscritto all'interno del più vasto mercato della lettura: capace di dare all'editore interessanti margini di reddittività (oltre a consistenti ritorni d'immagine), a condizione di servirlo con strategie promozionali e commerciali più efficaci, e con politiche d'autore più moderne. Diverse, in ogni caso, rispetto a quelle che avevano contraddistinto le strategie editoriali dei maggiori gruppi editoriali degli anni Settanta. Segmenti di lettori da servire secondo linee d'offerta più mirate, e non più il vasto e generico pubblico dei frequentatori della libreria: quella orientata prevalentemente al pubblico della scuola (con titoli di autori come Svevo, Pirandello, Vittorini, Pavese, Calvino, ecc.), oppure a un frequentatore più tradizionale della libreria (Bevilacqua, Castellaneta, Arpino, Sciascia, ecc.) e, ancora, all'interno di questa maggiore articolazione che hanno assunto le linee d'offerta, quella che è stata definita come la "giovane narrativa italiana».

Critica e pubblico riservano quindi una maggiore attenzione alla nuova narrativa e ciò è dimostrato anche dall'andamento dei premi letterari di quel periodo. In una cronaca letteraria, Pier Mario Fasanotti così registra il fenomeno: «Eppure si avvertono i sintomi che qualcosa sta cambiando nel nostro panorama letterario: mentre fino a pochi anni fa la generazione di Calvino e di Sciascia, della Morante e di Parise, sembrava non avere eredi, oggi comincia a delinearsi nitidamente la fisionomia dei probabili successori. E il segnale più vistoso di questa nuova presenza è venuto proprio dal Premio Campiello, che ha registrato alcune clamorose esclusioni, e altrettante clamorose promozioni. Quattro dei cinque finalisti hanno meno di 45 anni: Roberto Pazzi, Giorgio Montefoschi, Mario Biondi e Antonio Tabucchi».[7] È da sottolineare la data di questa edizione del Campiello, 1985, e il fatto che uno degli autori citati, Mario Biondi, si aggiudicherà addirittura il Supercampiello. Il premio veneziano vedrà, negli anni successivi, diversi esordienti o giovani autori nelle cinquine: Marta Morazzoni, Paola Capriolo, Michele Mari, Raffaele Nigro (vincitore, tra l'altro, dell'edizione 1988), Luca Doninelli e Enrico Brizzi.

In quegli anni, si evidenzia anche un successo di pubblico per i nuovi romanzi italiani: Andrea De Carlo, Aldo Busi e Pier Vittorio Tondelli raggiungono i vertici delle classifiche. Assai interessante è il caso di *Rimini*, il romanzo di Tondelli che esce all'inizio dell'estate 1985 e trova i giornalisti culturali impegnati in indagini e servizi sulla natura del giovane scrittore. Si privilegiano le interviste, accompagnate da servizi fotografici "curiosi", in grado di creare interesse, grazie ad una nota di glamour, tanto che per presentare il romanzo a *Domenica in* (presenza poi censurata e cancellata) viene chiamato lo stilista Enrico Coveri che prepara un defilé in costumi balneari. Tondelli è tra i più intervistati della stagione, grazie al tema "alla moda" del romanzo. Appare, ad esempio, sull'"Europeo", tra le cabine della riviera, su una spiaggia deserta, in scarpe da tennis e abbigliamento casual. Il titolo strilla "Tutte le strade portano a Rimini", seguito dall'annuncio: "Adesso il Bukowsky emiliano si è fermato sulla Riviera Adriatica. Trasformandola in una grande Nashville nostrana". Il romanzo s'impone subito come best seller e diventa soprattutto un fenomeno di costume. Viene presentato da Roberto D'Agostino — insieme all'omonimo successo discografico di Lu Colombo che grida: "Rimini sembra l'Africa" — al Grand Hotel, con buffet in giardino e ballo nei saloni felliniani, in una serata di luglio "all'insegna dell'immaginario collettivo su Rimini", in concomitanza con l'inaugurazione della mostra bolognese *Anniottanta*.

L'ipotesi di un ricambio generazionale, una diversa attenzione critica, la creazione di personaggi-spettacolo e un differente modo di intendere lo scrittore da parte della stampa, nonché un interesse, forse conseguente all'effetto-Eco, da parte dell'editoria straniera verso la nuova generazione di scrittori induce l'editoria a individuare nel giovane scrittore un'ipotesi di business.

Proprio sulla questione del mercato editoriale, il rapporto 1990 dell'agenzia Livingstone sottolinea: «L'aumento dei costi di acquisizione dei diritti esteri, la non sempre facile valutazione delle potenzialità che il mercato italiano riserva al romanzo straniero, il fatto che l'aumento dei titoli sia risultato più accentuato del lettorato, così che il numero degli acquirenti per titolo risulta minore, e quindi più difficile il recupero dell'investimento anticipato in diritti, hanno spinto diversi editori a puntare maggiormente sull'autore italiano, a investire in maniera più diversificata sulla domanda di narrativa. La "giovane narrativa" d'autore italiano viene a rappresentare una delle linee d'offerta — come il "minimalismo" per altro — che caratterizzano le strategie di mercato anche nell'area della fiction, di non poche case editrici».[8]

Un'osservazione di Giorgio Manganelli imposta invece così i termini della questione: «Registrerei una situazione di grave pericolo. Oggi, sono gli editori a fare letteratura. In fondo, parliamoci chiaro, la categoria dei "giovani scrittori" chi l'ha inventata? Loro. Hanno bisogno di sponsorizzazioni, di trovate, di garantirsi un'immediata vendita. E così nascono operazioni spregiudicate. Può anche darsi che in Italia ci sia una fioritura di geni del tutto particolare. Ma anche in tal caso farei valere la vecchia massima secondo cui il genio va scoraggiato. Non c'è niente di peggio per uno scrittore giovane anagraficamente che trovarsi improvvisamente garantito dal produttore dei suoi libri. Il quale lo pubblicizza come il "caso del secolo". Questo può creare gravi guasti psicologici e creativi in chi scrive...».

In un certo senso, l'editore non dovrebbe mai sapere con precisione quel che pubblica. Altrimenti non passeranno mai, con la scusa delle scarse vendite, autori sperimentali o, per così dire, aleatori. Ma poi, scusate, una letteratura controllata dai manager, che razza di letteratura è? Oggi si arriva al paradosso che di un libro si può dire "è interessante, peccato non avere la collana adatta". E meno male che esistono ancora libri che non nascono con la collana già pronta!»[9]

La ricerca vera e propria del nuovo autore coinvolge solo in parte la grande editoria, infatti solamente dopo un esordio da un piccolo editore e una valutazione dei consensi critici, lo scrittore viene richiesto dagli editor delle case editrici più importanti. In tal senso gli esordi più significativi avvengono in gran parte presso piccole editrici come Il lavoro editoriale/Transeuropa e Theoria, le uniche che, negli anni Ottanta, scelgono come linea portante quella di dare ampio spazio al nuovo autore italiano. Presso Il lavoro editoriale/Transeuropa si crea una sorta di palestra di nomi di sicuro rilievo e un catalogo che annovera Claudio Piersanti, Gilberto Severini, Gianni D'Elia, Alessandro Tamburini, Pino Cacucci, Lorenzo Marzaduri, Claudio Lolli, Alessandra Buschi e trova la collaborazione di Pier Vittorio Tondelli, per gli Under 25. Una leadership, quella di Transeuropa e del suo editor, Massimo Canalini, che non solo viene confermata, ma che assume ancor più rilievo negli anni Novanta con due casi editoriali "ad effetto" della letteratura giovanile: Silvia Ballestra e la scoperta dell'autore-cult Enrico Brizzi.

Presso Theoria escono Marco Lodoli, Sandro Veronesi, Sandra Petrignani, Valeria Viganò, Giampiero Comolli, Fulvio Abbate e, negli anni Novanta, vengono pubblicati i libri di Sandro Onofri, di Giulio Mozzi e di Sebastiano Nata. Effettivamente, queste case editrici sono un'officina alla quale poi la grande editoria, in cerca di nuove direttrici di espansione, attinge, forte di poter offrire anticipi più corposi e una maggiore visibilità in libreria, sottraendo agli editori originari gli scrittori in cui hanno creduto e per i quali hanno predisposto le occasioni per un primo e serio lavoro di riconoscimento critico. Sottolinea ancora il rapporto 1990 dell'agenzia Livingstone: «Ciò che viene "acquistato" non è solo il nuovo autore quanto il prestigio tesaurizzatosi nel pubblico dei lettori e dei frequentatori della libreria con l'uscita presso piccole e spesso prestigiose sigle editoriali».

Spesso nascono anche equivoci e tentativi di addossarsi l'originalità della scoperta. A volte i primi editori non vengono nemmeno citati non solo a livello di servizi giornalistici, ma anche nelle quarte di copertina, nel repertorio bio-bibliografico degli autori. Una lamentela in questo senso si ritrova anche nella postfazione di *Papergang*, il terzo "Under 25" curato da Tondelli, che scrive: «Che poi questi Under 25 siano stati "scoperti" dagli scouts di altre case editrici e lanciati sul mercato letterario tacendo il lavoro fatto con noi, questo, un poco, ci ha rattristato».

A Theoria e a Transeuropa, su un'altra linea direttiva, vanno affiancate altre sigle editoriali: Camunia, diretta da Raffaele Crovi, che ha all'attivo un buon numero di esordienti, non sempre giovanissimi, tra i quali ricordiamo Raffaele Nigro e Andrea Vitali, nonché la proposta di Tiziano Sclavi e Bollati Boringhieri, che propone una narrativa che rischia a livello stilistico: basti pensare a Ermanno Cavazzoni, Dario Voltolini, Giampaolo Proni, Maurizio Salabelle, Antonio Moresco. Non è da dimenticare inoltre Marietti

(Roberto Pazzi, Giorgio Pressburger, Enrico Rovegno, Giorgio Bertone) e l'ottimo lavoro svolto da Marsilio che vara, nel 1986, un Progetto giovani, sponsorizzato da SEMI Granturismo e Alcantara, una società del gruppo ENI. Il progetto, sfociato nella proposta della collana "Primo tempo", ha fatto conoscere autori come Susanna Tamaro e Gaetano Cappelli; Marsilio ospita poi nella collana "Romanzi e racconti" varie proposte "giovani", quali quelle di Alessandro Tamburini e di Pia Pera.

Negli anni Novanta, le problematiche restano aperte e la ricerca degli scrittori giovani segue le tematiche dei best seller già affermati come *Jack frusciante è uscito dal gruppo* di Brizzi e *Tutti giù per terra* di Culicchia. Nei primi anni Novanta si affaccia sulla scena Castelvecchi, di Isabella Santacroce e Aldo Nove, un nuovo, piccolo editore che già definisce una precisa progettualità nel contesto delle sue proposte editoriali orientate verso la narrativa giovanile più in linea con le controtendenze culturali e con i linguaggi alternativi. Un'attenzione al nuovo è presente anche nel lavoro della Marcos y Marcos, con la proposta di Gian Luca Favetto, Filippo Betto, Barbara Garlaschelli e la conferma di Marcello Fois, Massimiliano Sossella e Nicoletta Vallorani. Inoltre, l'editore Guaraldi ha voluto segnalare la propria presenza nell'ambito narrativo, attraverso varie collane, con un interessante lavoro di scelta di nuovi scrittori per gli anni Novanta, da Davide Rondoni a Guido Conti, da Enzo Fontana a Claudio De Vecchi, da Andrea Ragazzini a Giancarlo Giojelli, aprendo la collana "Altra narrativa" e facendosi promotore, a Colorno in provincia di Parma nel settembre 1995, di una specie di "Woodstock letteraria", con l'intervento di critici e letture degli scrittori di percorsi e di progetti relativi alle condizioni del narrare odierno. Di rilievo è anche la collana "Mercurio", pubblicata nel 1995 da Giunti e diretta da Enzo Siciliano, che ha ospitato esordi come quello di Carola Susani o scrittori all'opera seconda o terza come Edoardo Albinati, Andrea Carraro, Aurelio Picca e Giorgio van Straten. Le scelte del critico romano sembrano essere contrassegnate da un'attenzione precisa alla scrittura e alle scelte stilistiche sempre innovative o comunque segnate da una anticonvenzionalità, anche rispetto alle mode e alle etichette correnti.

Feltrinelli ha invece intensificato la propria proposta di nuovi narratori italiani, diventando punto di riferimento per la maggior parte degli scrittori che hanno esordito negli atti Ottanta e che pubblicano i loro secondi e terzi libri presso la casa editrice di via Andegari. Tra i nomi che sono approdati al catalogo Feltrinelli: Domenico Starnone, Dario Voltolini, Silvia Ballestra, Valeria Viganò, Rocco Carbone, Ermanno Cavazzoni, Clara Sereni, Maurizio Maggiani, oltre a scrittori che hanno pubblicato da sempre i loro libri con l'editrice milanese come Claudio Piersanti, Stefano Benni, Antonio Tabucchi, Gianni Celati, Erri De Luca.

Cambiano anche le modalità per far conoscere i libri al pubblico. Non basta più il solo intervento critico, ma è necessario puntare su aspetti promozionali che rendano più diretta la presenza dello scrittore. Si registra, quindi, una crisi d'identità per la figura del critico, il quale si dibatte, a vari livelli, in un disagio nei confronti del suo stesso mestiere, delle ragioni che lo muovono e delle finalità del suo apporto. Al riguardo, scrive Luigi Baldacci: «Il rituale dell'industria libraria ha una sua suggestione. Il momento che agisce più direttamente su chi va in cerca di qualche indicazione è quello del lancio, che coincide con l'intervista all'autore (sempre disposto a parlare di sé come di un outsider); poi ci saranno le presentazioni pubbliche, i florilegi dei consensi (nei quali, con l'estrapolazione di una frase opportunamente neutra, si può essere inclusi anche quando si sia espresso il dissenso più netto), infine la consacrazione di qualche premio. Una meta a cui l'opera arriva stanca, con l'aureola da libro dell'anno, o del decennio, già un po' gualcita nel percorso. Tutto previsto, tutto scontato. Eppure questa macchina riesce a far presa anche sul lettore professionale, e se non lo influenza nel giudizio, spesso lo determina nelle scelte. In generale i critici, quando non abbiano una precisa responsabilità consultiva, entrano in campo per registrare scelte già fatte (...). Insomma al critico resta assai spesso da riflettere più sui congegni della macchina che sui suoi prodotti. La quale macchina, certamente, è altresì sensibile alle raccomandazioni autorevoli di chi non lesina la sua lode quando l'autore fruisce ancora di una circolazione elitaria o si mantiene nel limbo delle cose che verranno».[10]

Interpretazioni critiche

Maria Corti, nel definire un percorso sul cambiamento delle strutture narrative negli ultimi decenni, partendo dall'esperienza neosperimentalista (1965-1975), si limita a citare alcuni nomi e a indicare per essi una realizzazione/

deviazione della lezione calviniana: «(...) ecco il gruppo dei cosiddetti giovani scrittori, dove l'attributo giovane viene riferito ora all'età, ora al fatto che siano esordienti, cioè giovani come uomini di penna, nuove leve, autori di libri che al contrario sono quasi tutti di piccole dimensioni, il che naturalmente significa qualcosa di più profondo di quanto sembrerebbe a formulare così il problema, cioè in termini di dimensioni. Sono Gianni Celati, Antonio Tabucchi, Daniele Del Giudice, Nico Orengo, il primo Marco Lodoli, Paola Capriolo. Come tutti gli scrittori, anche questi aspirano a cambiare il mondo, o almeno la sua lettura. Però un loro tratto distintivo può essere la carica intellettuale o intellettualistica, a seconda, con cui si pongono in modo radicale il problema di come affrontare la realtà. Non è un caso che sfoci in loro quella che è stata la grande riflessione e la conseguenza della forza creativa di Italo Calvino, il solo che questi giovani riconoscano come *auctoritas*.

Già Calvino, infatti, si era posta la questione del percepire il reale con strumenti nuovi, non più dati solo dalla cultura umanistica; donde il suo far ricorso da un lato a una minuta descrizione, quasi analisi conturbante delle cose (come in *Palomar*), al potere investigativo dei cinque sensi e soprattutto al messaggio della scienza; d'altro lato al puro universo immaginario, a città che non trovano posto in nessun atlante essendo invisibili, alla fissità degli emblemi, al linguaggio dei segni.

Ecco, per esempio, Del Giudice in *Atlante Occidentale* (1985) impostare la tematica sul dialogo fra uno scienziato e un umanista; oppure Tabucchi collegare le forme descrittive a quella della visualità filmica e Orengo tuffarsi in un mondo lirico e fabuloso per esprimervi con ironia l'incomunicabilità fra un uomo e una donna, ben più consistente di quella fra lo stesso uomo e una trota».[11]

Secondo Pietro Citati, l'aspirazione del nuovo narratore italiano sta a metà tra il topo di biblioteca e il misantropo: «Non sono molto informato sull'attività letteraria degli scrittori che hanno appena compiuto trent'anni. Ma ho l'impressione che qualcosa li distingua profondamente da quelli che li hanno preceduti. Tutte, o quasi tutte, le generazioni letterarie di questo secolo, hanno formato dei gruppi, con una cultura, delle intenzioni comuni, e un'attività critica che li accompagnava.

I trentenni di oggi sono soli. Quasi sempre si sviluppano tardi con una riluttanza profonda ad uscire dall'adolescenza in cui la mente è una pagina bianca dove si rovesciano i libri: leggere sembra appassionarli più che prendere in mano la penna. Ognuno di essi possiede una cultura propria: sceglie i testi che preferisce nell'immensa biblioteca del tempo; non hanno gusti comuni, né vere amicizie letterarie, né giovani critici amici che li sostengano. Non sembrano conoscere dei "progetti" o delle idee letterarie, come nelle età sperimentali.

Perduti nelle province o nelle città, immersi in una oscurità che non amano cancellare, vogliono soltanto scrivere qualcosa che non appartenga a nessun tempo o progetto o tendenza. Tutto dipende dal loro talento, dalla tenacia con cui sapranno svilupparlo, dalla forza con cui resteranno fedeli alla loro ombra, dall'arte con cui trasformeranno il ricordo dei libri nei propri libri».[12]

Più livido e "calderonico" il paesaggio delineato da Goffredo Fofi: «Forse le difficoltà maggiori, mai abbastanza insistite, sono appunto queste: la moltiplicazione delle storie nell'appiattimento delle esperienze e dell'esperienza; l'assenza di ogni curiosità reale, di "inchiesta", all'infuori del proprio io e degli speculari io dei propri simili di sottogruppo o di sottocorporazione. Gli aspiranti scrittori (o cineasti, o poeti, o teatranti, o sceneggiatori o disegnatori di fumetti), anche i più dotati di talento, di questo partecipano, ne sono prodotto compiacente per narcisismo e pigrizia, e non mirano alto, non sembrano avere ambizioni di una qualche maggiore rappresentatività e incisività. Anche loro hanno storie e non esperienze, forse ancor più di altri poiché coinvolti dalla mediocrità degli intellettuali loro padri assai più di quanto non pensino e non vorrebbero. E preferiscono rifarsi a storie altrui, divagarsi imitando, o ancora crocianamente e scioccamente "partire da sé"».[13]

Queste "interpretazioni" non sono però che tasselli di "identità", che non circoscrivono ancora il complesso fenomeno della narrativa degli anni Ottanta e mettono in rilievo quanto la critica spesso abbia preferito "leggere" il nuovo solo secondo parametri elitari o "di parte". L'immagine del nuovo scrittore diviene quindi la traccia di un ipotetico alter ego del critico: colui che immette «il ricordo dei libri nei propri libri» per Citati; un estremista della realtà («e ci si sta augurando lo sviluppo, il rafforzamento, la formazione di scrittori che amino la letteratura al punto di volerne la massima compromissione nel reale»[14]) nel caso di Fofi.

Spesso i percorsi delle nuove scritture hanno intrapreso strade isolate e individuali, lasciando aperto e inconcluso un discorso, se non di riflessione collettiva, almeno di incontro e di confronto delle diverse poetiche sperimentate e dei vari temi privilegiati. Un tentativo di confronto è stato proposto agli inizi degli anni Novanta dalla rivista Panta ipotizzata come "un luogo" dove riunire certa letteratura degli anni Ottanta e possibilità concreta di raccontare il mondo attraverso le storie. L'iniziativa è nata dal confronto e dall'impegno di un gruppo di autori italiani fra i trenta e i quarant'anni, quali Tondelli, Lodoli, Piersanti, Tamburini, Veronesi, Rasy, Elkann, Palandri. Per questi autori «l'appartenenza a una stessa generazione si esprime nella ritrovata fiducia del narrare» ed essi stessi hanno intuito di poter valorizzare attraverso la rivista «le differenze tra i vari modi di vedere la realtà, i diversi itinerari di formazione, gli stili e le scritture personali».

Diverse posizioni sono emerse anche dal convegno di Ancona *Nuovi Narratori '90*.[15] Come tema centrale si è imposto il mutamento della prospettiva generazionale, non solo come approccio ai temi narrativi, ma anche come riflessione sulle proprie scelte di scrittore. Giorgio van Straten sottolineava: «Il mio senso della realtà proviene dalla constatazione che oggi la sede del significato non è più la storia, ma il quotidiano, il piccolo, il ravvicinato. È un elemento di lavoro molto importante, poiché quest'analisi rappresenta il passaggio dalla storia alle storie, dal collettivo all'individuale. Credo che questo dell'avvicinato rappresenti lo sforzo per avere un significato». Su posizioni diverse si è posta invece Lidia Ravera: «Il luogo della letteratura è l'opposizione. Non credo allo scrittore integrato. La scrittura è l'espressione della difficoltà ad avere un rapporto con il reale, è il cercare questo "altrove" per andare avanti. Noi siamo i narratori della fine di un millennio e siamo i testimoni di una realtà sempre meno rappresentabile. Io rivendico questa malinconia e questo doloroso scacco che noi abbiamo con il reale. Forse il decennio che abbiamo attraversato ci ha aiutato in qualche modo a conquistare l'anziano che è in noi: questa è la storia della crescita». Del resto, in queste affermazioni, è possibile reperire la prerogativa di certe scelte tematiche: quello di una ricerca delle contraddizioni che si agitano nella realtà, vissute però sempre a livello della propria singolarità. Lo ha sottolineato anche Enrico Palandri: «Siamo tutti immersi in questa crisi in cui disperatamente si cerca di connettere un sapere all'altro. Mi sembra importante sottolineare che questo reale che ci ha prodotto non svanirà, che vive ancora in certe aule di tribunali... Ma la letteratura non consiste in una separatezza.

Voglio avere un'idea positiva del lavoro collettivo, ritornare a credere che c'è un "noi" da dire. Mi interessa riuscire a stabilire con gli scrittori e con la critica un rapporto più interlocutorio».

La possibilità di raccontare storie

Un libro del 1983 di Peter Bichsel, *Il lettore, il narrare*, è essenziale per capire il rinnovato bisogno di storie e il senso della "storia narrata", percepito dai "buoni" scrittori italiani negli anni Ottanta. Per Bichsel lo scrittore non è un essere eletto, il quale per meriti propri ed esclusivi, è chiamato a farsi portavoce della parola. L'atto della scrittura è possibile ad ogni uomo, nel momento in cui questi diviene portatore di una storia, anche inconsapevolmente e anche se questi non ha gli strumenti necessari e idonei per rendere possibile la narrazione di tale storia. È questo il caso delle «storie senza parole» di cui parla Bichsel, le quali risultano essere poi quelle stesse che ognuno si porta appresso. Del resto ogni uomo ha in sé una consapevolezza di storia vissuta e di storia fantastica, di accadimento già interpretato e di desiderio da realizzare.

Il compito della letteratura è quindi quello di formare una sorta di registro o di inventario delle storie, in quanto solo in questo modo è possibile ricostruire una possibile forma di resistenza. Non tutto però fa parte delle categoria delle storie. La storia, in quanto narrazione, è intesa da Bichsel, come una catena che deve essere in grado di recuperare il senso della memoria, di farsi carico dell'epos del ricordo. Infatti «le storie sono storie perché ci ricordano altre storie. Tutto ciò che ci ricorda delle storie, lo riconosciamo come semplice accadere».[16]

L'atto della scrittura, per il narratore, equivale quindi ad una ripetizione, in quanto il grande "ciclo" delle storie che da sempre appartiene alla storia dell'uomo, è già stato scritto. Sottolinea Bichsel: «La letteratura, ne sono convinto, è ripetizione. Le storie di questo mondo sono scritte: nella Bibbia, nelle storie dei Chassidim, in Omero». È necessario comunque che avvenga tale ripetizione, quasi in una dimensione di perpetuo richiamo, in quanto ciò equivale a «continuare la tradizione del narrare, perché noi possiamo sostenere la prova della nostra vita solo raccontando».[17]

Quest'ultima riflessione può essere utile per chiarire entro quali percorsi e su quali direzioni si siano mossi i narratori che hanno operato negli anni Ottanta: è emerso un bisogno di storie e la necessità di ritrovare il senso della realtà proprio in un'efficacia del narrare che si raccoglie intorno ad emblemi e modelli novecenteschi.

Ogni narratore sembra essersi costruito una propria "storia" che risulta segnata dalla figura di un "maestro" del Novecento letterario italiano, o perché ha dato l'avvio alla storia o perché si nasconde come mimesi o ragione della scrittura, oppure solo perché diventa il segno dell'appartenenza ad una radice che è ragione e vanto della stessa scrittura.

È interessante, anche, leggere alcune definizioni sulla propria necessità di scrittura, dai nuovi narratori.

MARCO LODOLI

«Ho cominciato come poeta ed è questa la mia estrazione che poi si è sviluppata nei racconti. Scrivere racconti è, per me, una necessità di concentrazione linguistica. Il racconto resta la forma migliore per esprimere il tema che mi è più caro, quello di una fedeltà. I personaggi che ne sono protagonisti compongono un'ipotetica enciclopedia di volti di fine millennio: hanno tutti una fedeltà ossessiva che corrisponde poi, in definitiva, ad un amore, ad un oggetto, ad un qualcuno, ad una tale persona. In effetti questi racconti potrebbero essere dei poemi in prosa. Me lo suggerisce il mio modo di scrivere lento, una pagina per volta. Così il poema si forma cercando di creare dei piccoli miti, legati a personaggi che mutano le loro strette prospettive, in aspetti assoluti».[18]

ENRICO PALANDRI

«Scrivendo *Le pietre e il sale* avevo in mente un modello di romanzo che avevo formato su certe letture; un modello che non avevo definito teoricamente ma che situavo con una certa precisione tra alcuni grandi libri: mi rendevo conto però che questo punto di vista che raccoglie, o quanto meno catalizza i temi dell'esperienza, che ammiro negli autori ottocenteschi, mi si rompeva in mano, si frantumava in una quantità di racconti contigui, a volte speculari, a volte semplicemente diversi; una certa coerenza mi pareva emergesse comunque, non esplicitamente ma per temi sotterranei, per una certa fisicità del linguaggio. Il titolo del libro ha a che fare proprio con questa particolarità della lingua, come se le metafore, il lessico, persino la delineazione psicologica dei personaggi fossero legati, non so bene come, alla pietra e al sale, alle loro proprietà fisiche. È strano, perché se invece penso a qual è la metafora ricorrente mi è chiaro che questa è l'acqua. Forse una Venezia da cui l'acqua è tutta evaporata è una Venezia di pietra e sale. Quello che io sono andato a cercare in questo libro era anche un'evaporazione del parlato che avevo utilizzato in *Boccalone*, volevo riuscire a scrivere in modo più crudo e secco».[19]

PINO CACUCCI

«Io scrivo con un occhio alle mie passioni di lettore e con uno all'esperienza di quella generazione studentesca degli anni '70 che era ricca di creatività, sensibilità e socialità. Ho condiviso questa esperienza e soprattutto ho assistito allo svuotarsi ineluttabile di ogni ideale. Lo yuppismo reaganiano degli anni '80 ha disperso ogni autentica creatività, lasciandoci soli e vuoti. È per questo che i protagonisti dei miei racconti sono tutti degli emarginati, dei "drop-out" che si concedono "il lusso" di vivere alla giornata lontani da ogni tentazione di carrierismo».[20]

CLAUDIO LOLLI

«Gli anni Ottanta hanno cancellato la possibilità di avere esperienze effettive. In questo decennio si è guardata la vita con sensibilità appannata e ora il contatto autentico si ha soltanto estremizzando. Per questo i miei personaggi, vista preclusa la strada per la felicità, pur di provare sensazioni vere imboccano quella della crudeltà, sterile, ma che almeno fa sentire qualcosa».[21]

GIORGIO VAN STRATEN

«Per me lo scrivere è un atto liberatorio e doloroso, quasi sostitutivo dell'analisi psicanalitica. È il rapporto con la propria memoria falsificata, in quanto cioè arbitrariamente selezionata fino a costruire un'autobiografia inevitabile e immaginaria. È ri-raccontare se stessi inventando le storie che si vorrebbero ascoltare e che nessuno scrive o, meno presuntuosamente, che in quel momento non si hanno a disposizione».[22]

FABRIZIA RAMONDINO

«Non esiste un "linguaggio" della scrittura moderna, ma "i linguaggi":

per quanto riguarda gli scrittori, se è assente l'ideologia, i loro linguaggi sono diversi. In regime di libertà ci sono tanti linguaggi quanti sono i "creativi", mentre i "media" hanno un unico linguaggio come gli scrittori omologati degli Stati a "regime". Lo scrittore "autentico" non inganna gli altri né se stesso, uno scrittore vero sa quando la parola è giusta, congrua. La scrittura diventa liberatoria solo quando rispetta una istintualità "stratificata"; quanto più la scrittura è "individuale", frutto di maggiore scavo su se stessi, tanto più è "universale". Dove "individuale" non significa "originale", fine a se stessa, ma frutto di relazione tra sé e il mondo».[23]

ROBERTO PAZZI

«Io scrivo perché mi piace, perché mi diverte. Per il piacere di aggiungere un mio libro sullo scaffale della mia libreria. Non mi sono mai posto il problema di sapere a chi arrivano le mie opere. Per ora, arrivano a me. Solo una cosa posso aggiungere: quando scrivo provo un'emozione fortissima. Penso che quello che sto scrivendo potrebbe esser letto fra un secolo».[24]

ERRI DE LUCA

«C'è sempre un po' di presunzione nel dire che è finzione, perché sembra che uno voglia passare per narratore. Io non mi sento affatto tale. Uno scrittore sa quello che fa, governa la narrazione. Io non so nulla, neppure quando scrivo. È come se da una fortissima concentrazione partisse un'iniziale, e quest'iniziale si porta dietro il resto. Il mio racconto è tenuto insieme solo da un tono di voce, è uno che parla e vuole essere ascoltato. Se avessi dovuto parlare in prima persona, non ce l'avrei fatta».[25]

PIER VITTORIO TONDELLI

«Il lavoro dello scrittore è un continuo pensare in termini di scrittura e di progetti letterari. Lo stimolo che viene dall'esterno credo che per uno scrittore sia sempre riferito all'orizzonte narrativo di un probabile romanzo. Ogni giorno si pensano, si elaborano e si selezionano decine di possibilità di narrazioni. È un modo di filtrare la realtà, forse paranoico da questo punto di vista, come se tutto non arrivasse allo scrittore in quanto uomo o in quanto persona, ma a lui in quanto uomo o persona portatore di una storia. È un procedimento di andata e ritorno, quello che caratterizza lo scrivere».[26]

«Io ho l'idea di una letteratura che comunica, leggibile. Il che non significa rinunciare a sperimentare delle cose o non allontanarsi dalla tradizione. Sicuramente, però, non mi interessa una letteratura criptica o decifrabile solo da pochi iniziati. Certamente è più difficile scrivere in modo semplice, comprensibile, ma sono convinto che la vera sfida sia proprio questa: riuscire a farsi comprendere da chiunque, magari comunicando un concetto difficile o complesso».[27]

Pre-postmodernità

La seconda metà degli anni Ottanta segna una linea di demarcazione ben precisa, corrispondente a una progressiva destituzione dell'interesse verso il dato generazionale, a favore di un'ipotesi, ancora latente, di postmodernità, rilevata da un coinvolgimento sempre più generalizzato verso le forme del romanzo di genere. Un effetto-Eco? «Un sociologo della cultura potrebbe persino insinuare che il romanzo semiotico e gotico di frate Guglielmo, all'ingresso degli anni '80, segni l'affermazione di un pubblico postindustriale e postmoderno, assai differente da quello descritto dal Serra nelle *Lettere* della "borghesia intellettuale" del "Corriere", composto di "professionisti che non hanno rinunziato alla lettura, signore che non vogliono dimenticare di avere avuto una buona educazione, signorine e ragazzi non completamente sportivi". Qualcuno ha già proposto, del resto, di identificare questo pubblico con la "nuova *middle class* culturale" cresciuta nel '68, eclettica e poliforma, immersa nella civiltà dello spettacolo quotidiano e nella sua estetica generalizzata della risoggettivazione, della cultura come intrattenimento e museo, enciclopedia di forme, di esperienze e di maschere, in una biblioteca di Babele in cui ognuno può fingersi un Borges a occhi aperti, un detective dilettante di sensazioni e immagini, un turista curioso che più che conoscere vuole informarsi. Walter Benjamin coglieva nel segno allorché notava che la massa è una matrice dalla quale attualmente esce rinato ogni comportamento abituale nei confronti delle opere d'arte, anche se la ricezione che le è propria avviene nella distrazione».[28]

O ancora l'ipotesi postmoderna potrebbe nascondere altre ragioni? La prospettiva di una realtà destabilizzata di interesse? Il trionfo dell'era televisiva e della struttura-serial? L'antidoto a una istruzione scolastica massificante e accademica, il cui rapporto con la realtà è sempre più latente?

Remo Ceserani parla della *House of Fiction*: «La casa della narrativa, diceva Henry James, ha molte stanze, molte chiavi per entrarci, e molte finestre da cui osservare il mondo, "l'umanità è immensa" — egli diceva — "e la realtà ha una miriade di forme: al massimo si può dire che alcuni dei fiori della narrativa hanno l'odore della realtà, e altri non ce l'hanno". Per gli scrittori esordienti, entrare nella *House of Fiction*, scegliere la stanza dove abitare, scegliere la propria finestra, il terrazzo o il giardino dove coltivare i fiori, o l'orto dove coltivare insalata, patate ed erbe fini, è un'operazione al tempo stesso arrischiata ed esaltante.

Come entrano i nuovi scrittori? (...) Una volta entrati vanno di filato, quasi tutti, in biblioteca, pronti a tirar giù dagli scaffali, altri libri di narrativa, o in videoteca, pronti a rivedere alla moviola, i nastri di tante classiche narrazioni cinematografiche. Le finestre sono spesso false finestre, e le porte si aprono su altre biblioteche e altri scaffali.

Che stia per nascere anche nella casa della narrativa italiana la scuola del postmoderno? Forse è troppo presto per dirlo. Forse non c'è, in giro, ancora abbastanza spregiudicatezza conoscitiva, o ironia neoromantica o esaltazione *hightech*. Forse è la tradizione stessa del moderno che non è ancora penetrata, da noi, abbastanza in profondo».[29]

Al museo delle cere

Il postmoderno sembra mettere in crisi il rapporto tra le dimensioni: non c'è più distinzione o istituzione di classi di valore tra la letteratura alta e accademica e quella cosiddetta di "genere" o di "consumo". Il tutto è giocato non più all'interno del tessuto linguistico, ma sul piano strutturale.

Così anche il neo-romantico o il post-fantastico o il museo delle cere di Rasy-Morazzoni-Capriolo-Pazzi altro non è che un tentativo di porsi in un un'ottica postmoderna, riletta e rivissuta nell'ambito del citazionismo d'autore o anche della "letteratura-tappezzeria". Nelle loro opere si ritrovano echi di altre opere, rivisitazioni di altri libri e di altri autori, per lo più classici della letteratura. A loro la realtà interessa relativamente, soprattutto nei suoni, nei rumori e nei colori della lingua. Vivono in un aristrocratico silenzio, coltivando le passioni e i culti dei fantasmi letterari che poi ritroviamo nelle pagine. Il ricorso alla storia è da loro prediletto, per l'immersione in un'aura "sublime" che cerca di recuperare, essenzialmente, i grandi temi dell'esistenza. Del resto questa forma di citazionismo tipicamente italiano sembra aver quale prerogativa quella di pensare la scrittura come un esercizio di stile, in un freddo rifiuto delle tensioni del presente. Da ciò risulta che ogni ulteriore indagine è rilettura. La scrittura si trasforma così nel tentativo di recuperare una biblioteca ideale, fatta a immagine e misura dello scrittore. Scrive al riguardo Giuseppe Scaraffia: «Nell'ondeggiare dell'ideologia ci sentiamo contemporanei a tutti, capaci di fondere nella comune passività gli echi più dissonanti e diversi. I manieristi, in letteratura come nelle arti visive, sono convinti, come Goethe, che "il ciclo vivente dei sentimenti e dei destini umani si è compiuto" e che "il contenuto temporale di un'epoca è stato esaurito". Non resta allora che scegliere liberamente nell'immenso magazzino di costumi lasciatoci in eredità dal passato».[30]

Piuttosto apprezzati dai critici, questi scrittori frequentano spesso le cinquine dei premi importanti. Basti una curiosa scheda biografica che così definisce Paola Capriolo: «Ama Wagner e Thomas Mann, traduce dal tedesco, legge poesia: sono già tre cose che la distinguono da tutti i suoi coetanei. Schiva, anticonformista come può esserlo chiunque è in sintonia più con le ragioni del passato che con quelle del presente, vive in modo molto solitario, in compagnia della sua gatta Giocasta e circondata dai quadri alla Paul Delvaux della madre. La sua narrativa si ricollega alla più nobile tradizione del fantastico, quella in cui misteriose presenze, ambigui fantasmi sono espressione del mistero dell'esistenza umana. Paola Capriolo ha immediatamente trovato chi l'ha compresa e valorizzata: tra i primi, Domenico Porzio, Geno Pampaloni, Maria Corti, Lorenzo Mondo. Non c'è scrittore così giovane che vanti tanti riconoscimenti. La sua traduzione della "Morte a Venezia" di Thomas Mann comparirà nella collana "Scrittori tradotti da scrittori" di Einaudi: una prova che la lancia fra i nomi sicuri della letteratura degli anni Novanta».[31]

La letteratura ricerca se stessa all'interno della storia e della dimensione letteraria già esistente. Il termine della realtà viene a cadere o passa in second'ordine, per far posto al viaggio immaginario a ritroso. La parola diviene così una riscrittura del già scritto: il suo ruolo è quello di porsi come postilla al "classico" o alla letteratura alta. E non si può parlare, a ragione, di nipotini come avveniva negli anni Sessanta, ad esempio, quando Testori e Arbasino venivano affiliati a Gadda. Il citazionismo è ben altra cosa: la letteratura come puro esercizio estetico. Lo dimostra anche un illustre ideologo come Pietro Citati: "La letteratura come ricamo. (...) Nel libro di Gérard Macé[32] (cfr. *Le manteau de Fortuny*), Fortuny è il simbolo dell'artista del nostro tempo. Egli non vuole inventare una storia, né rappresentare la vita reale. È un enorme ragno, che assorbe nel suo corpo vibrante le immagini del passato. (...) Quale sarà il destino di questa letteratura-ricamo, di questa letteratura-tappezzeria? Può darsi che produrrà soltanto libri di second'ordine: ultimi fiori artificiali della letteratura alessandrina. Ma vi ricordo un tema della *Recherche*, che risuona nelle stesse pagine dove è ricordato Fortuny. Gli uccelli accoppiati, che nei capitelli bizantini di San Marco bevono nelle urne di marmo e di diaspro, ci annunciano che tutto finisce, tutto si perde, tutto deve ritornare e risorgere nel ciclo dell'universo. Così, forse, può accadere in questi libri dove le immagini vengono imitate, muoiono e rinascono. Forse l'ampiezza della cultura, la sottigliezza della sguardo, la ricchezza degli intrecci e dei rapporti, la delicatezza del ricamo, il battere inesausto alle porte del mistero, quel tema doloroso e gioioso della morte-rinascita, le daranno un'intensità strana».[33]

Anticamera postmoderna

Il "citazionismo" storico e il ricorso alla letteratura di consumo rappresentano, per la nuova narrativa della seconda metà degli anni Ottanta, l'anticamera di una stagione postmoderna per il romanzo. Anche se già Andrea De Carlo, con *Uccelli da gabbia e da voliera* (1982), offre un curiosissimo esempio relativo a questa prospettiva («Se da un lato riprendeva il tono disincantato del *Treno di panna*, dall'altro puntava con determinazione sull'intreccio romanzesco, attingendo senza remore dai generi tradizionalmente "bassi" della *fiction* soprattutto americana», Cesare De Michelis[34]), sono gli esordienti "post-85" a privilegiare la letteratura, intesa non più come espressione linguistica o emozionale, ma in quanto costruzione adattabile a vari e variegati livelli, tendente al "basso" e recuperata in una serie di scaffali elettronici, i quali già forniscono le tecniche e le griglie degli impianti, entro le quali lo scrittore deve immettere i "dati" della sua invenzione romanzesca.

Se in tale ottica è riscontrabile il dato postmoderno, si può affermare che l'ipotesi ha trovato una sua conferma. Anche se poi lo scenario non propone però una commistione di generi, ma registra l'evolversi e il costruirsi di un casellario a sé, statico, al quale lo scrittore accede prioritariamente o per affinità. La funzione della scrittura diviene quindi quella di porsi come banca dati di quella rete elettronica, ben definita, e facilmente consultabile che il romanzo di genere rappresenta. Vari fenomeni in questo senso confermano la tendenza, ma ancora ad uno stadio di "esercizio" o di "introduzione" al postmoderno.

Del resto per capire a fondo quale possa essere l'effettiva incidenza del fenomeno e quanto si possa realmente parlare di postmodernità, risulta utile la chiarificazione di Fredric Jameson: «(...) una caratteristica fondamentale di tutti i fenomeni postmoderni: la cancellazione del confine (essenzialmente moderno-avanzato) tra cultura alta e la cosiddetta cultura di massa o commerciale, e l'emergere di nuovi tipi di "testi"[texts] pervasi di forme, categorie e contenuti di quell'Industria Culturale tanto appassionatamente denunciata da tutti gli ideologi del moderno, da Leavis e dal New Criticism americano fino ad Adorno e alla Scuola di Francoforte. Il postmoderno ha infatti subito tutto il fascino di questo paesaggio "degradato" da kitsch e scarti, di serial televisivi e cultura da *Reader's Digest,* di pubblicità e motel, di show televisivi, film hollywoodiani di serie B e della cosiddetta paraletteratura con i suoi paperback da aeroporto, divisi nelle categorie del gotico o del romanzo rosa, della biografia romanzata e del giallo, della fantascienza e della *fantasy:* materiali che nei prodotti postmoderni non vengono semplicemente "citati", come sarebbe potuto accadere in Joyce o in Mahler, ma incorporati in tutta la loro sostanza».[35]

L'ipotesi postmoderna della narrativa italiana degli anni Ottanta si formula soprattutto nella definizione di una crisi nei confronti dell'istituzione letteraria dominante e soprattutto nei rapporti con la ricerca linguistica. Tale crisi, che, negli anni Settanta, si è palesata in una contestazione e in una deistituzionalizzazione della letteratura, negli anni Ottanta si evidenzia all'interno di uno sfruttamento degli ingranaggi dell'epoca post-industriale dell'editoria, sia attraverso il ricorso alla letteratura di consumo, sia attraverso la messa in discussione del valore contingente che la letteratura può avere in sé.

Se il centro nodale non risiede più nell'espressione letteraria, ma si sposta sul gioco della costruzione, lo scrittore non tende ad assumere il "proprio" ruolo creativo, ma si pone in varie ottiche che possono essere quelle del manipolatore e dell'esecutore delle storie, quelle del "personaggio spettacolarizzato", quelle del "mangiatore di carta" o semplicemente del cercatore di storie.

Paradossalmente si potrebbe parlare di un postmodernismo usato in funzione ecologica: la letteratura non veicola più l'idea o l'espressione linguistica, ma si fonda sul concetto del "riciclo" delle storie, dei manufatti, dei materiali linguistici, dei generi letterari.

Dall'"individualità emotiva" che ha retto l'esperienza degli scrittori, caratterizzati dal dato "generazionale", si passa all'"individualità compositiva" del postmodernismo all'italiana. Infatti, in questo caso, la letteratura, nell'ottica del "riciclo", diviene un esercizio calcolatorio di montaggio, smontaggio, scelta, uso, estensione. Così i materiali su cui si basa questa tendenza postmoderna sono le cronache di nera dei quotidiani, le conversazioni del *Maurizio Costanzo Show* o le interviste di Baudo a *Domenica in,* la costumistica di Tirelli e la scenografia viscontiana, gli interni degli stabilimenti di Cinecittà per quanto riguarda i film in costume, un po' di Truffaut e di Erich Romher, molto dei fratelli Vanzina, poco di *Capitol, Dallas* e *Beautiful* qualche strizzatina a Pupi Avati, quasi niente di rock, di discoteche o di locali in genere, le storie in musica di Claudio Baglioni.

La crisi della letteratura

Lo scenario degli anni Ottanta presenta modalità di vivere il proprio essere scrittore, contrastanti fra di loro. Sul piano dei risultati si assiste ad una riformulazione dei valori strutturali tradizionali con il ritorno al romanzo tout court, ad un abbandono delle ricerche linguistiche o degli sperimentalismi, all'adozione di un linguaggio che, nella maggior parte dei casi, risulta lineare e funzionale alla conduzione del racconto, all'affermarsi della forma delle storie come struttura privilegiata. Si potrebbe parlare di un richiamo all'ordine costituito, che mette a fuoco un profondo disagio, se non una crisi dello scrittore, non solo nei confronti della parola in sé, ma soprattutto nell'organizzazione del contesto narrativo. Alberto Moravia, nel 1990, così interveniva: «Il dibattito sul romanzo è molto vivo in Italia, anche perché escono molti romanzi; ma non al modo che sarebbe tenuto in Francia o in Inghilterra, paesi nei quali il romanzo vanta una invidiabile tradizione. No, in Italia se ne discute ancora per negarne o difenderne la legittimità, la possibilità, la dignità. Si direbbe insomma che con il romanzo in Italia si sia sempre daccapo: può un narratore essere considerato un vero autentico scrittore? (...) In altri termini più spicci, perché i detrattori della narrativa non ci dimostrano coi fatti che raccontare "bene" una storia è tutto sommato spregevole, cioè "facile"? Già, perché tutto il problema della narrativa è che è diabolicamente "difficile" scrivere un buon romanzo. Altrettanto diabolicamente difficile che scrivere una bella poesia o un bel poema in prosa. In questo solo modesto aggettivo "difficile" sta tutta la nobiltà della narrativa. Chi crede il contrario, ebbene, come si dice, si accomodi, scriva lui per una volta quella cosa facile che è un bel romanzo».[36]

La frammentazione romanzesca come espediente narrativo usata da vari narratori, il ritorno al gioco combinatorio di matrice calviniana, usata come codice stilistico e come affermazione di quanto ogni storia possa contenerne infinite altre e possa porsi come scatola ad incastri in cui il narratore riesce a muoversi e a divagare, sono esempi di un'incertezza che si manifesta proprio alla fine degli anni Ottanta. Emerge, in molti casi, un senso di impotenza alla scrittura o alla narrazione in genere, dove anche l'atto combinatorio non è intuito come piacere dello scrivere, ma come volontà di un esercizio all'interno della letteratura.

Secondo Giuseppe Bonura vi sono anche altre questioni da affrontare: «Le ricorrenti lamentele sulla cosiddetta morte del romanzo, o sulla sua inesorabile agonia, non avrebbero modo di levarsi in Italia, se i cosiddetti piagnucoloni non fossero romanzieri mancati o critici che aspirano vanamente al romanzo. Ma forse la questione sta in altri termini: sta dileguandosi dal panorama letterario e culturale il romanzo scritto con intenti artistici, e le ragioni sono tante, e anche molto, molto preoccupanti. Non esiste un'autentica tensione fantastica e progettuale, un sano sperimentalismo. Ma non esiste più, perché la società nel suo insieme, è ripiegata in se stessa, nel suo devastante grigiore consumistico. Così il romanzo ha due vie: o scegliere un disperato e nobilissimo scavo stilistico che si opponga alla volgarità sociale, o costruirsi come «macchina di puro piacere narrativo».[37]

Il panorama si presenta ancora nebuloso rispetto agli aut-aut posti da Bonura: si superano progessivamente i pregiudizi rispetto al romanzo di genere e molti esordienti scelgono la via del "puro piacere narrativo". Più complesso si fa il discorso quando si va ad indagare sul "sano sperimentalismo". Del resto, l'assunzione della tradizione novecentesca, come ipotesi di lavoro letterario, identifica un'abdicazione della ricerca narrativa in sé: pochi narratori tentano ancora la costruzione del romanzo, anche se non in forma sperimentale, almeno a livello di intreccio. La narrazione "live", come viene strutturata da Salvatore Mannuzzu, la forma del diario, quella epistolare, il riferimento al parlato, e ancora gli inserti dialogici, la preminenza del ricorso a strutture teatrali, la modificazione strutturale del romanzo, ha trovato solo in rari esempi una sua ipotesi di ricerca che, negli esiti maggiori, ha saputo arrivare ad una commistione dei registri, in un'articolazione di voci e strutture, consone ad una conduzione narrativa ritenuta comunque forte.

Risulta spesso convenzionale invece l'approfondimento dei registri linguistici. Anche nel caso delle registrazioni del "vissuto", siamo ancora nel campo delle strutture già sperimentate: si tratta solo di contenitori che, diligentemente, lo scrittore riempie di materiali. Non crea, ma redige un esercizio, a cui ha allenato la tradizione scolastica. Così, molto spesso il narratore ha preferito fermarsi ad una condizione di adeguamento a stilemi narrativi già consolidati. Lo sottolinea Tondelli nel libro-intervista *Il mestiere di scrittore*: «Forse è vero: il rischio è stato quello di avere un autocompiacimento nella scoperta del proprio ruolo di scrittore. Si può cadere nell'equivoco che ognuno di noi faccia il suo bel compitino, pulito, elegante, senza errori e avallare l'idea dello scrittore-impiegato: una personcina con la cravatta, il completo scuro, le copie vendute, il premio vinto. Non mi piace questa consacrazione entro un preciso e tranquillo modo di essere compiaciuti di sé, quasi legittimati dal fatto di scrivere. Per evitare il rischio di essere troppo chiusi dentro un laboratorio di scrittura, ho avuto la necessità di rimettermi in collegamento col sociale, con gli altri, con delle situazioni diverse dalla mia. Perché scrivere non basta. Di questo sono sicuro».[38]

Negli esiti maggiori la questione fondamentale per la nuova narrativa degli anni Ottanta ha avuto al centro la realtà non come problema, ma in quanto necessità di identificarsi in essa, come all'interno di mondi assolutizzati, ma fortemente caratterizzati rispetto all'individualità dello scrittore. Tanto che è sembrato essenziale trovare, per la sua resa espressionistica a livello di scrittura, una forma che ne potesse delineare anche umori, accezioni sonore, disgregazioni sentimentali. Generalmente, lo scrittore ha agito in un'ottica di mediazione tra la tradizione novecentesca di cui si è sentito parte o che ha intuito come privilegiate per il suo modello letterario e il richiamo delle voci della realtà, intese come possibilità di connotazione stilistica. Gli anni Ottanta, anche a livello linguistico, hanno messo in luce l'idea di una realtà frantumata nella sua struttura, balbettante nelle sue voci, profondamente in mutazione. L'idea stessa del tempo è stata messa in discussione, come sottolinea giustamente Gianni Celati: «In realtà il tempo non è solo lo scorrere, ma il modo stesso d'essere delle cose; qualcosa che deve sorgere e finire sempre innanzi a noi, e che può essere glorificato come un'*epifania*. Io mi aspetto un tempo che sorga davanti, non mi scorra dietro le spalle. L'aprirsi di qualcosa innanzi a me, momento per momento, e che pure deve svanire. Il mondo occidentale rifiuta il fatto che il tempo scorra, cioè che il tempo sia ciò che svanisce, e che noi svaniamo con lui. Rifiutando questo rifiuta anche il senso del presente, perché il presente è il momento dell'*attesa*».[39]

Nuove identità giovanili

Un osservatore attento come Alberto Piccinini con *Fratellini d'Italia* traccia una "mappa generazionale" che è un viaggio variegato, multiforme, scandito per scenari, città e stili. Nella struttura si rifà ad un modello assai interessante qual è l'ultima parte del *Weekend postmoderno* di Pier Vittorio Tondelli, quel "giro in provincia" che raggruppa, per brevi frammenti, istanze fulminee, sguardi rivelatori su un'Italia giovanile in movimento. O ancora sembra muovere, strutturalmente, dall'altro viaggio musicale tondelliano, quei "quarantacinque giri per dieci anni" che riflette su un decennio di scelte musicali, da un mitico concerto dei Police alle solitudini della discoteca. Se lo sguardo di Tondelli era audacemente interiore, pur esplorando un collettivo giovanile da lui condiviso per simpatia, lo sguardo di Piccinini è più partecipe, vuol capire e soprattutto vuole esimersi da un giudizio sul mondo giovanile. Così le sue ricognizioni tendono a capire i fenomeni, non solo sociologicamente, ma per quanto intaccano l'immaginario.

Così, se *Weekend* si ferma alla soglia degli anni Novanta, registrando entusiasmi e delusioni del decennio precedente, Piccinini attraversa i primi anni Novanta che hanno visto una notevole frantumazione delle mode, degli stili, dei modi di essere. Sfilano così tra gli altri, quelli che Piccinini chiama «i duri rappers militanti delle Posse e i Franti telefonici del "144", i rigorosi cyberpunk milanesi e le vittime sacrificali del Sabato notte, i giovani e timidi scrittori, le bambine cattive di "Non è la Rai", il virtuoso popolo del rock messianico». E ancora le bande giovanili e i giovani eroi della cronaca nera: lanciatori di sassi, ecc. Assai interessanti le sue considerazioni. Il rap? «Per la prima volta dopo tanti anni i fratellini d'Italia hanno avuto a disposizione un linguaggio capace di riannodare la storia interrotta dagli anni di piombo, un linguaggio profondamente contemporaneo, frammentario, violento, esplicito, mosaico di suoni e di voci proprio come il paesaggio delle città, o se preferite, come una di quelle piazze televisive che hanno visto cambiare il volto del Paese».[40] La telematica? «Tra i cosiddetti cyberpunk — filosofi e ultra dei computer —, i maghi del videogioco e i ragazzini attaccati alle hot-line telefoniche, passa un filo sottile finché si vuole ma comunque annodato strettamente alla vertigine telefonica che pervade silenziosamente un'Italia sonnacchiosa e premoderna. I fratellini d'Italia non si sono certo tirati indietro. Figli della televisione, e di nessun altro, hanno provato a metterci le mani, a toccare, collegarsi, perdersi».[41]

Anche la cosiddetta "scuola rock" (Ballestra, Brizzi, Culicchia, per fare un esempio dei nomi più citati) che si è imposta a livello di critica e di pubblico ha voluto aprire gli orizzonti sul mondo giovanile, soprattutto là dove la scrittura, oltre che testo letterario, diventa documento sociologico che identifica slang e abitudini, mode, comportamenti e stili di vita. Insomma un modo per rivelare un paesaggio inedito, spesso raccontato solo giornalisticamente attraverso le inchieste e i sondaggi. Già da almeno un decennio c'era uno sguardo puntato su scritture che potessero, in qualche modo, diventare espressione di un mondo fortemente caratterizzato dal dato generazionale. È stata questa una delle prerogative (anche se non la sola) del "Progetto Under 25", lanciato da Pier Vittorio Tondelli, con la casa editrice Il Lavoro Editoriale, proprio dieci anni fa, quando lo scrittore emiliano, dalla pagine di *Linus*, scriveva che «per avviare un discorso sincero sui giovani» bisogna dimenticare «tutte le mode e tutti i discorsi già fatti». E consigliava: «Raccontate i vostri viaggi, le persone che avete incontrato all'estero, descrivete di chi vi siete innamorati, immaginate un lieto fine o una conclusione tragica, non fate piagnistei sulla vostra condizione e la famiglia e la scuola e i professori, ma provatevi a farli diventare dei personaggi e, quindi, a farli esprimere con dialoghi, tic, modi di dire».[42] Componeva così un vademecum essenziale, in grado di generare, ancora oggi, scrittura.

Infatti a raccontare la generazione di quelli che potrebbero benissimo essere i figli di Tondelli, nati nella seconda metà degli anni Settanta, quando lui scriveva *Altri libertini* o quando De Carlo pensava a *Treno di panna*, arriva un "enfant-prodige" bolognese, Enrico Brizzi, maturità classica e un passato da "rock parrocchiale". Esce con un romanzetto fresco e, per certi versi, spontaneamente ingenuo, *Jack Frusciante è uscito dal gruppo*.

Così il giovane scrittore racconta le motivazioni che lo hanno spinto al libro: «Avevo mandato a Massimo Canalini un romanzo assai diverso da questo, sul genere *Blade Runner*, che forse non funzionava. Ci siamo visti e lui mi ha indicato alcune cose che Tondelli aveva scritto per gli Under 25, quel richiamo alla quotidianità, quel non ricercare i massimi sistemi, ma il racconto della vita di tutti i giorni. Ho provato a scrivere qualcosa di più normale: col mio quarto anno di liceo. Studiavo poco, ascoltavo molta musica, litigavo molto coi miei genitori, avevo questa storia d'amore con una ragazza che poi è partita per l'America: il tutto in una primavera».[43] È quello che viene raccontata nel romanzo: in cui il protagonista è sì deciso, ma anche ingenuo, un po' perso nelle nuvole, abbastanza ironico per ridere di se stesso, molto sentimentale nei rapporti, con un senso profondo dell'amicizia e soprattutto con un desiderio di trasgressione che non cede mai all'autodistruzione: trasgredire significa farsi fare un duplicato delle chiavi di casa, all'insaputa dei genitori, per portarci Aidi (alias Adelaide) e quando queste non funzionano attaccarsi alla nonna, sempre più comprensiva, che cerca il mazzo nella borsetta e lo consegna al nipote. O ancora vuol dire crearsi un background personale; scegliere cosa leggere e cosa ascoltare, al di là di ciò che i professori, senza grinta e senza interesse, propongono. Forse equivale anche ad essere solidali con quegli amici che hanno perso la sfida in modo drammatico, col non tradirli. Bravi ragazzi quindi, questi diciottenni, che filano per le strade bolognesi in bicicletta, quasi fossero tanti Girardengo. Ma non solo: con una loro rabbia e con un loro desiderio da rendere evidente, con quella musica che si ritrovano sempre in testa, che non è solo colonna sonora, ma una sorta di poesia alternativa che sottolinea e spiega o semplicemente si sostituisce nell'identificare gli stati d'animo: la musica disperata di Pogues, Cure, Clash, i desideri di Morrissey e degli Smith, quel "punk" parrocchiale che diventa una possibilità di incontro tra ragazzi, aggregazione giovanile, prima ancora che educazione religiosa.

Del resto la musica è essenziale in questo pianeta giovanile. Lo afferma anche Goffredo Fofi nel colloquio introduttivo a *My generation*, una raccolta di racconti promossa dal mensile King: «La musica è un fenomeno straordinario, l'aspetto più ricco culturalmente di queste generazioni, l'unico elemento di comunicazione collettiva che rimane oggi ai giovani è quello. È anche uno dei pochi elementi di reale creatività giovanile, perché c'è una varietà di situazioni e di cose. Mi sembra questa la vera cultura di questi anni, più di qualsiasi altra».[44] Per Brizzi: «Con la musica, la radio, le varie modulazioni di frequenza, le cassette, scegli il rumore di fondo della tua vita. È come essere più liberi, nella scelta personale che puoi fare. I miei preferiti sono i Pogues, visti dal vivo ad un concerto, con la straordinaria figura di Shane MacGowan e i suoi micro-racconti di disperazione giovanile».[45]

In *Jack Frusciante* ci sono anche molti riferimenti letterari: dal *Piccolo principe* a Kerouac, fino al Burgess di *Un'arancia a orologeria* che spiegano anche l'uso di un linguaggio diretto che media slang giovanili, citazioni ironiche, certe tecniche proprie dei fumetti e una letterarietà abbastanza affinata e ben giocata nel contrasto col parlato. Sottolinea Brizzi: «Il libro di Burgess è stato molto importante per la mia scrittura, soprattutto per l'uso del gergo: non invento niente, solo frasi che si usano tra amici, le cose che ci fanno ridere. Del resto oggi si vive molto parodiando e questo viene riflesso nella scrittura».[46]

Brizzi racconta un'identità giovanile, non un'idea assoluta di generazionalità, tanto che afferma: «Respingo il ruolo del portavoce. La mia, quella che racconto, è una individualità. Anche perché il riferimento generazionale è meno preciso, ci sono molte stratificazioni. I diciottenni di oggi non sono omogenei: nessuno è più nessuno. Anche la scelta degli stili può variare dal rockers al punk, dal Dolce vita al Supermarket Old Stile. Anche individualmente non ci sono linee precise: si può andare al mercoledì da Fiorello e al giovedì ad un concerto rock. Credo che nessuno abbia più un'identità precisa. Una volta la diversificazione era più netta, il punk guardava male lo skin. Ora non più: si è passati dall'identità del gruppo alle tribù. Il gruppo non serve più a dare un'identità: non c'è più la necessità di essere presenti insieme. Oggi i ragazzi cercano di essere "assenti" insieme».[47]

Certamente, in questo crogiolo di modi di essere, di stili, di tendenze che mutano molto in fretta c'è chi rivendica alla condizione giovanile una normalità, al di fuori proprio delle discoteche, delle mode imperanti. Vita quotidiana, malumori continui e molta ironia come possibilità per spaccare il sordo muro della mediocrità piccolo borghese, della televisione accesa che produce modelli vincenti alla "TeleMike", che ha solo la carriera in testa. Il protagonista di *Tutti giù per terra* di Giuseppe Culicchia rifiuta tutto, ma anche la trasgressione, i linguaggi altri, per scoprire, ossessivamente, un'autenticità. Spiega Culicchia: «Ho voluto scrivere una biografia generazionale che facesse parte di un universo un po' trascurato dai mass media. Almeno stando a sentire i loro sondaggi. Il protagonista del mio romanzo è senz'altro fuori dalle logiche canoniche del mondo giovanile. Per lui è importante cercare un lavoro, frequentare l'università. In pratica percorre l'ingresso nel mondo adulto, con un certo disagio armato di molta autoironia».[48] Permangono i dissidi con i genitori, soprattutto l'incomunicabilità con un padre che vorrebbe da lui solo una buona posizione in azienda, avanzamenti di carriera ecc.

Sorprende il lato spesso tragicomico delle situazioni, che arrivano a livelli paradossali, costruendo una sorta di parodie amplificate del "radical chic" stile anni Ottanta, del mondo burocratico e delle famigerate insegnanti, con i loro pregiudizi verso i bambini zingari. Il tutto, attraverso un linguaggio semplificato che scorre un po' amaro e divertito. Sottolinea Culicchia: «L'ironia è forse il punto di forza del protagonista. Infatti non si prende mai molto sul serio. È un ribelle per professione. Vive continuamente situazioni di spiazzamento perché non riesce a trovare punti di riferimento. Cambia pelle a seconda delle occasioni, forse per sopravvivere. Non è certo un eroe a tutto tondo. Diventa corrosivo, perché sa che è l'unica arma che gli rimane e con quella cerca di difendersi».[49]

Anni novanta nel segno del pulp

Nell'ottica di un ripensamento generalizzato sulle condizioni del narrare e soprattutto rispetto alla contigenza della scelta del romanzo tout court, la

44

nuova narrativa degli anni Ottanta e Novanta ha messo in luce anche schegge di "polifonie" romanzesche che ritrovano il loro interesse nella conduzione strutturale, alla luce delle frantumazioni in corso, ad esempio mediante l'inserto dei materiali iconici. Si sono letti frammenti narrativi vicini alla prosa poetica, romanzi in forma di dizionario, romanzi "critici", veri e propri romanzi "visivi". Rileggendo retrospettivamente le esperienze e i tentativi, anche se non del tutto riusciti, si può, a ragione, parlare di aspetti introduttivi ad una diversa intuizione del narrare, voluta dagli scrittori dell'ultima generazione, pubblicati negli anni Novanta. Così, se i percorsi narrativi ormai consolidati degli autori più interessanti che hanno esordito nel decennio scorso hanno trovato una conferma della propria originalità, gli "ultimissimi" hanno introdotto veri e propri elementi di destrutturazione non solo linguistica, ma, soprattutto, in relazione ai tempi delle storie, accelerando su quella dimensione postmoderna che risulta fascinosamente attratta dal paesaggio, anche moralmente degradato, del kitsch e degli scarti-spazzatura. Del resto, oltre ai riferimenti musicali, è la cosiddetta cultura "bassa" o semplicemente pop, da quella televisiva a quella cinematografica, a influenzare le scelte narrative. Un esempio è il background che sottolinea, per sé, Niccolò Ammaniti, quando dice: «Forse è stata una reazione alla cultura classica che mi aveva insegnato la scuola e la famiglia. Mia madre mi faceva leggere solo letteratura russa — Se non leggi Cechov come farai a capire la gente? —. Ero abbastanza soddisfatto, ma un giorno trovai a casa di un mio amico *Carrie* di Stephen King. Me lo presi e lo divorai. Da lì è incominciato un percorso verso il basso che mi ha spinto verso ogni tipo di letteratura e degenerazione (splatterpunk, Harmony, fumetti, pornografia). E più andavo avanti e più mi rendevo conto che tutto questo si andava amalgamando con quella alta. Un consiglio: non fate distinzioni, appassionatevi».[50]

Non è necessario inventare etichette di riconoscibilità quali le derivazioni pulp, trash o rock. È importante trovare una forma interpretativa delle narrazioni. Infatti, il loro consumarsi dentro una dimensione di tempo, nella scrittura giovanile odierna, è radicalmente mutato, così come si va diversamente strutturando la linea spaziale entro cui si svolge la narrazione. Nasce quindi, accanto all'analisi sulla radice della scrittura e sulla contaminazione o retorizzazione dei linguaggi e dei gerghi (che poi la nuova narrativa sia in grado di definirne le essenze, le strutture, la vita antropologica e umoralmente fervente è tutto ancora da dimostrare), la necessità di inquadrare la diversa prospettiva che assume il raccontare come atto affabulatorio. Narrare una storia non è più, negli anni Novanta, l'atto del condurre un'affabulazione che necessariamente segue la linea sequenziale di un racconto che cresce e si sviluppa, in una dimensione spazio-temporale ben precisa e ben definita, ma equivale a strutturare una dimensione di scrittura a collage, in cui la natura del racconto si configura come l'assommarsi di frammenti, spesso dissimili, se non in opposizione tra loro, appartenenti comunque ad un'unica condizione spaziale. Aldo Nove così sottolinea le sue scelte: «Il mio scopo dichiarato era appunto quello di riportare il ritmo dello zapping in letteratura, scrivere televisivamente, ciò che è breve, veloce e spezzato. È stato un misto di scelta letteraria e di... come dire... gratificante comodità, perché così si vive e così si parla. Non dovevo fare il finale e questo anziché diventare uno svantaggio ha finito col conferire coerenza interna al discorso. La scelta del micro-racconto è stata quasi obbligata: era la forma più congeniale al genere, quella letteratura televisiva di cui si diceva prima... Mi è capitato durante la lavorazione del libro di mettermi davanti alla televisione e segnarmi le frasi e i modi di dire tipici, particolarmente vuoti. Vuoti però significativi, drammaticamente efficaci».[51]

Il paesaggio in sé confuso e frammentato è l'unica condizione a imporsi come natura di uno scenario e diventa il fine del racconto: non è la sua evoluzione a interessare gli ultimissimi narratori, bensì il fluire vorticoso dentro uno scenario contemporaneo che, affondando nel grottesco e nell'assurdo, si prefigura come dimensione virtuale di una realtà non appartenuta, bensì radicalmente compromessa dentro lo schermo piatto di un televisore sul quale le immagini fluiscono, in un ritmo proprio, senza nemmeno l'azione del telecomando.

Ad imporsi è il rischio della ripetitività: dopo un guizzo di humor nero, dopo una destrutturazione della realtà in forma di farsa grottesca o allucinante, sembra che la scrittura non sappia più argomentare. Resta un vuoto o un nulla su cui scorrono le immagini narrative. Il critico si trova così di fronte ad un dilemma: «Incapacità di raccontare come elemento negativo di giudizio o mimesi tra realtà, scrittura e altri linguaggi?" Per Marino Sinibaldi «la velocità e la sorpresa sono elementi decisivi di questo stile. Quando si smarriscono — e in qualche racconto di Ammaniti accade — vengono alla luce le debolezze e i cliché narrativi. E, soprattutto, finisce per decantarsi quella miscela di reale e inverosimile, di ordinarietà e di eccesso, di convenzione e di distacco critico-ironico il cui inestricabile intreccio è invece un suggestivo connotato pulp. Ammaniti e Nove sono solo due tra gli esempi possibili, con altri caratteri comuni a diversi scrittori delle ultime generazioni: un debordante e in certi casi logorroico piacere di raccontare, per esempio, o la predilezione per l'essenzialità psicologica e lo schematismo figurativo assorbiti dal linguaggio sintetico del fumetto. Troppo poco per dire pulp, cioè per indicare l'avvento di un nuovo genere e di una nuova estetica. Abbastanza, però, per avvertire che i radicali mutamenti della percezione avvenuti in questi anni alle nostre spalle cominciano a generare forme di espressione e un gusto nuovi».[52]

Del resto su questa nuova generazione di scrittori le posizioni critiche risultano assai divergenti. Angelo Guglielmi sostiene questa tendenza e la ritiene innovatrice proprio per la ritrovata libertà di racconto: «Finché, e siamo a oggi, (grazie ai) con i giovani narratori (dei quali non mi interessa chiedermi se dureranno in eterno) la letteratura ha abbandonato l'Aventino senza rinunciare allo spirito critico e alla estraneità, alla mistificazione del tempo (attuale). Come hanno potuto decidersi a tanto ponendo termine alla loro solitudine e ritornando alla confidenza con i lettori? È stata determinante una riflessione (consapevole o no non importa) sulle forme dell'arte e la scoperta di una (loro) possibile forzatura utile a operazioni fino allora proibite. A cominciare dal recupero della trama, censurata (liberata) da ogni pretesa di verità (di strumento preordinato a tessere percorsi a tesi o giudizi sul mondo) e piegata ad assecondare ipotesi di architetture tanto più interessanti quanto più ardite. Si è trattato dunque di un intervento di pesante ironizzazione portato alle forme dalla narrativa allo scopo di privarla della pesantezza (dei pregiudizi ideologici) che le impediva di muoversi con agilità lungo i pendii della fabulazione (che le impediva di raccontare) e di restituirle quella leggerezza che è garanzia di credibilità per ogni operazione che ha a che fare con il linguaggio (con i linguaggi)».[53]

Per Giulio Ferroni si tratta di una trasgressione di maniera o imposta: «Nella narrativa, giovane o meno giovane, sembrano oggi molto diffusi dei generici modi "trasgressivi": una letteratura che si sente alle corde rispetto a forme culturali più veloci e più "visibili", sembra potersi fare strada solo con la provocazione e con l'eccesso, immergendosi in deformazioni, poltiglie, cattiverie di tutti i tipi, manipolando il sesso in tutte le forme e le scomposizioni possibili. Sono cose con cui la letteratura ha sempre commerciato. Ma ora si ha l'impressione che queste trasgressioni si riducano alla conformistica riproduzione di un imperativo posto dai "media", a giochi di plastica e polistirolo, trascrizioni da "pulp fiction": atti con cui lo scrittore sottoscrive la nullificazione dell'esperienza, ratifica la perdita di ogni significato e di ogni terreno "civile" e condiviso, si piega al dominio dell'effetto pubblicitario. In questo gioco alla trasgressione si consumano qualità eccezionali, intelligenze e talenti che fuggono dal raccogliersi dentro di sé, credendo di affidarsi al vortice della comunicazione, alla scena indiavolata del presente».[54]

La presunta innovazione linguistica di certi romanzi o schegge di racconti, anziché il "nuovo" tende a proporre una convenzione decisamente costruita e basata sul ritmo della ripetizione. Manca una mediazione: all'autore sembra interessare più che il fondamento stilistico, la registrazione delle situazioni, il che non fa procedere nella narrazione che sembra alquanto statica. Si ha l'impressione che, più che una necessità, questo linguaggio diventi il motore di una macchina narrativa piuttosto fredda e rigida da muovere, soprattutto in quell'ambivalenza linguistica che da una parte registra il parlato della realtà giovanile e dall'altra imposta i dialoghi sul modello "serial" enfatizzato al massimo.

Il rischio è comunque quello del manierismo tanto che David Grieco, in un intervento assai polemico, pone alcune questioni essenziali: «allora, dove sarebbe il materiale utile ai giovani scrittori italiani? Di dissacrazione è inutile parlare. Nel nostro paese, a parte forse la Padania dei leghisti, non c'è più niente di sacro. Il linguaggio, dirà Baricco. Ma il linguaggio di Tarantino, per sua stessa ammissione, è parente stretto del cinema italiano di serie B degli anni '60 e '70. Tanto varrebbe studiare direttamente Lucio Fulci. Mi dicono di no. Capisco. Fulci non è elegante, non fa tendenza. Io però continuo a chiedermi che importanza può avere il linguaggio in quanto tale se uno che scrive non ha una storia che ha davvero bisogno di essere raccontata. Con la scusa che tutto ormai è stato scritto da qualcun altro e soprattutto altrove, in Italia ci si interroga da anni soltanto sul "come" si scrive. Secondo me il culto del linguaggio nasconde spesso, e male, l'assoluta mancanza di ispirazione».[55]

Anche Alberto Arbasino mostra perplessità e non si entusiasma; anzi per lui «gravi ostacoli (prima di tutto linguistici, ma anche ideologici e concettuali) bloccano invece oggi la via italiana al pulp letterario, che si vuole impietoso e irriverente. Il più antico è un impaccio ormai storico. Infatti il genere duro americano, il famoso "hard-boiled" dei trucidi, è normalmente scritto nel più usuale linguaggio parlato della vita quotidiana, con la ripetizione automatica di quelle parolacce tipo "fucking" o "bloody" che sono l'intercalare idiomatico dei duri come dei molli di basso profilo. Però gli apprendisti duri italiani non l'avvicinano nel testo originale. Lo apprendono e lo imitano dal gergo traduttorese dei consulenti editoriali e dei doppiatori cinematografici, che sta agli idiomi realistici così come le "perturbazioni" o "precipitazioni" stanno alla pioggia, la "balneazione" sta al bagno, e la "consumazione" sta al drink bar. Così in italiano un rozzo camionista dirà "fottutissima pupa" sulla pagina, mentre normalmente tra sfasciacarrozze e discariche ci si esprime piuttosto con dialetti alla Alberto Sordi o Umberto Bossi. E se parlassero come i pischelli di Pasolini, riecco l'Arcadia».[56]

L'esercizio postmoderno, probabilmente intuito come inscindibile, rimane in una sorta di anticamera. Proprio per questo la narrativa non restituisce più una lingua che pulsa dentro le storie, in grado di ricreare l'anima e la condizione stessa del narrare, ma segue una serie di modelli iperreali, spesso non sorretti nemmeno dalla convenzione di un tracciato romanzesco. Ci si ferma all'episodio, al colpo di fulmine, allo scenario, in cerca di storie, come mangiatori di carta insaziati e spaventati dallo schermo che non risponde al comando, non avanza e ripresenta sempre le stesse immagini, a circuito chiuso.

NOTE

[1] Cesare De Michelis, *Fiori di carta. La nuova narrativa italiana*, Bompiani, Milano, 1990, pag. 117.

[2] In "Panorama", 3 maggio 1980.

[3] Giuseppe Bonura, *Lo stile e la scrittura*. Relazione al convegno "Nuovi narratori 90", Ancona, Palazzo degli Anziani, 20-22 aprile 1990.

[4] Goffredo Fofi, in A. Cadioli-G. Peresson, *Il superlibro*, Il lavoro editoriale, Ancona, 1984, pag. 71.

[5] Pier Vittorio Tondelli, in *Panta. Pier Vittorio Tondelli*, a cura di Fulvio Panzeri, n. 9, 1992.

[6] Livingstone (a cura di), *Libri non solo per le vacanze. Il mercato della narrativa*, in "Scenari & Trend", allegato a " Il giornale della libreria", n. 1, gennaio 1990.

[7] Massimo Dini - Pier Mario Fasanotti, *I baronetti rampanti* in: "Panorama", 21 luglio 1985.

[8] Livingstone (a cura di), *Libri non solo per le vacanze. Il mercato della narrativa*, ibidem.

[9] Giorgio Manganelli, *Scrittori d'Italia*, in "L'Espresso", 12 gennaio 1986.

[10] Luigi Baldacci, *Uomini e macchine*, in "Europeo", 18 agosto 1990.

[11] Maria Corti, *Al trotto al galoppo il romanzo cambia*, in "Millelibri", n. 27, febbraio 1990.

[12] Pietro Citati, *Una voce dal sottosuolo*, in "La Repubblica", 25-26 febbraio 1990.

[13] Goffredo Fofi, *Pasqua di maggio. Un diario pessimista*, Marietti, Genova, 1988, pag. 135.

[14] Goffredo Fofi, ibidem, pag. 141.

[15] Il convegno si è svolto al Palazzo degli Anziani di Ancona, dal 20 al 22 aprile 1990.

[16] Peter Bichsel, *Il lettore, il narrare*, Marcos y Marcos, Milano, 1989.

[17] Peter Bichsel, ibidem.

[18] Fulvio Panzeri, *Snack bar prosa*, in "Il Sabato", 13 maggio 1989.

[19] Enrico Palandri, *Le preoccupazioni della scrittura*, in *Sul racconto*, Il lavoro editoriale, Ancona, 1989, pag. 97-98.

[20] Gianfranco Colombo, *Il cantore del thrilling*, in "Il Sabato", 14-20 maggio 1988.

[21] Gabriele Romagnoli, *I giochi crudeli di Claudio Lolli*, in "La Stampa", 17 marzo 1990.

[22] Giorgio van Straten, in *Perché scrivete? Rispondono 109 scrittori italiani*, Nord-Est, Padova, n. 6, 1989.

[23] Luigi Amendola, *Utopia contro orrore*, in "Rinascita", 8 aprile 1990.

[24] Roberto Pazzi, *Scrittori d'Italia*, ibidem.

[25] Enrico Regazzoni, *Attenti a quei due*, in "Europeo", 13-31 marzo 1990.

[26] Pier Vittorio Tondelli, in Fulvio Panzeri - Generoso Picone, *Tondelli. Il mestiere di scrittore*, Transeuropa, Ancona, 1994, pag. 33.

[27] Andrea De Carlo, in Michele Trecca, *Parola d'autore. La narrativa italiana contemporanea nel racconto dei protagonisti*, Argo, Lecce, 1995.

[28] Ezio Raimondi, *Le poetiche della modernità in Italia*, Garzanti, Milano,1990, pag. 104-105.

[29] Remo Ceserani, *Giovani inquilini nella casa della narrativa*, in "Il Manifesto", 13 aprile 1990.

[30] Giuseppe Scaraffia, *Stile Novecento*, in "Europeo", 10 marzo 1989.

[31] In "Epoca", n. 2049, 14 gennaio 1990.

[32] Cfr. È uno scrittore francese, nato a Parigi, nel 1946. In lingua italiana è uscita la traduzione di *Le dernier des Egyptiens*, col titolo *L'ultimo degli Egiziani. Champollion o l'avventura dei segni*, Guanda, Parma, 1990, nella traduzione di Marta Morazzoni e Michele Corrieri.

[33] Pietro Citati, *La grande vertigine* (da una conversazione al Centre Pompidou di Parigi con Gérard Macé), in "La Repubblica", 13-14 maggio 1990.

[34] Cesare De Michelis, *Fiori di carta. La nuova narrativa italiana*, pag. 77, ibidem.

[35] Fredric Jameson, *Il postmoderno o la logica culturale del tardo capitalismo*, Garzanti, Milano, 1989, pag. 10.

[36] Alberto Moravia, *Sfiorati dal piacere. Nel nome di D'Annunzio*, in "Corriere della Sera", 6 maggio 1990.

[37] Giuseppe Bonura, *Fallire per un rubino rosso*, in "Avvenire", 26 maggio 1990.

[38] Pier Vittorio Tondelli, in Fulvio Panzeri - Generoso Picone, *Tondelli. Il mestiere di scrittore*, pag. 74, ibidem.

[39] Carlo Dignola, *Fermati attimo. E clic*, colloquio con Gianni Celati, in "Avvenire", 11 aprile 1990.

[40] Alberto Piccinini, *Fratellini d'Italia*, Theoria, Roma-Napoli, 1994.

[41] Alberto Piccinini, *Fratellini d'Italia*, ibidem.

[42] Pier Vittorio Tondelli, *Un weekend postmoderno. Cronache dagli anni Ottanta*, Bompiani, Milano, 1990.

[43] Fulvio Panzeri, *Ragazzi tutti rock, slang e letteratura*, in "Avvenire", 28 luglio 1994.

51

⁴⁴ Goffredo Fofi, in *My generation. 19 giovani esordienti raccontano la loro generazione*, Nuova Eri, Roma, 1994.

⁴⁵ Fulvio Panzeri, *Ragazzi tutti rock, slang e letteratura*, ibidem.

⁴⁶ Fulvio Panzeri, *Ragazzi tutti rock, slang e letteratura*, ibidem.

⁴⁷ Fulvio Panzeri, *Ragazzi tutti rock, slang e letteratura*, ibidem.

⁴⁸ Fulvio Panzeri, *Quando il videogioco fa punk*, in "Avvenire", 13 agosto 1994.

⁴⁹ Fulvio Panzeri, *Quando il videogioco fa punk*, ibidem.

⁵⁰ Fabio Zucchella, *Now Generation. Niccolò Ammaniti*, Pulp, n. 2, maggio 1996.

⁵¹ Claudia Bonadonna, *Now Generation. Aldo Nove*, Pulp, n. 2, maggio 1996.

⁵² Marino Sinibaldi, *Nel fosso della tv*, in "L'Unità", 6 maggio 1996.

⁵³ Angelo Guglielmi, *Ehi pulp, pulp italiano*, in "La Stampa-Tuttolibri", n. 1015, 11 luglio 1996.

⁵⁴ Giulio Ferroni, *Abbasso i seguaci di "Pulp fiction". Meglio la moralità della trasgressione*, in "Corriere della Sera, 30 aprile 1996.

⁵⁵ David Grieco, *"Pulp fiction" e l'encomio del killer*, in "L'Unità", 25 maggio 1996.

⁵⁶ Alberto Arbasino, *Da Turandot ai Tarantini*, in "L'Espresso", 11 luglio 1996.

INCONTRI RAVVICINATI.
I NUOVI NARRATORI IN BIBLIOTECA

di Franco Galato

"Appartengo al popolo alto dei camminatori: notturni, silenziosi, attraversiamo la città e non temiamo le distanze; camminiamo per ore con le mani in tasca, parliamo o stiamo in silenzio, non temiamo le distanze".
da "Boccalone. Storia vera piena di bugie" di Enrico Palandri

Nel 1979, dopo anni di scarsa frequentazione della narrativa italiana (solo Moravia e Calvino, ma presi in dosi omeopatiche), un bibliotecario in fieri, ammaliato da Kerouac & C. e hemingwayano di ferro, colpito dalla storia d'amore di Enrico e Annina raccontata in *Boccalone*, si entusiasma per la giovane narrativa italiana. In questo vivace libricino dalla grafica accattivante — pubblicato da "L'Erba Voglio" e capitato per caso nelle mani di Gianni Celati — che trasuda il ritmo dei Clash e di qualche folletto ska, la narrativa italiana ritrova freschezza e vitalità e tanti giovani lettori scoprono in un libro la loro quotidianità: storie tenere, politiche e non, ironiche e sentimentali, storie di viaggi e di incantamenti, a volte storie disperate ma, quel che più importa, storie che sembrano scritte per loro.

Dopo la sperimentazione linguistica delle neo-avanguardie e la cappa ideologica del '68, che non ha favorito di certo la narrativa — qualcuno non si vantava forse di avere ucciso il romanzo? —, dagli zaini di generazioni molto calde e dal cuore di anni vissuti intensamente e pericolosamente escono a sorpresa le storie di nuovi scrittori.

Nei libri che i giovani narratori scrivono, in quegli anni, c'è la voglia di immergersi nelle cose, nei ritmi e, perché no, nei tic di una generazione.

È la stessa immediatezza e ingenuità (quasi una non-professionalità della scrittura) che lettori di "frontiera", tra i quali il bibliotecario di cui sopra, cercano e trovano nelle pagine di *Siddharta,* piuttosto che in Kerouac o in Bukowski.

Negli stessi anni, Feltrinelli pubblica *Primavera incendiata,* il primo romanzo del poeta Giuseppe Conte, e *Altri libertini* di PierVittorio Tondelli mentre da Savelli esce *Inverno,* l'unico romanzo di Pino Corrias: vicenda d'amore e di storie tese tra un lui e una Margherita, nella Milano dei Navigli, piena di nebbia, rabbia, militanza e dolcezza.

Successivamente, Italo Calvino, incantato dalla scrittura rapida e visuale di Andrea De Carlo propone a Einaudi la pubblicazione di *Treno di panna* e scopre anche Daniele Del Giudice e la luminosa prosa del suo *Lo stadio di Wimbledon.*

Questi autori, esordienti all'inizio degli anni '80, faranno da apripista, insieme a Pier Vittorio Tondelli, a una generazione di scrittori che tenterà di decifrare il senso di quegli anni sconclusionati, rampanti ma fecondi dal punto di vista artistico, cercando un antidoto al disorientamento e alla delusione.

La nuova narrativa italiana ha conservato, da allora, come tratto caratteristico, questa capacità di osservare e descrivere la realtà esistenziale e di costume della società italiana, rimandandone al lettore, attraverso le diverse scritture e le diverse anime degli scrittori, un immagine complessa ma abbastanza obiettiva. Questa "attenzione alla lingua della vita" (come la definisce Renzo Paris nel suo *Romanzi di culto*) ha dapprima convinto le generazioni raccontate nei romanzi poi quelle immediatamente contigue che vi si sono riconosciute, infine un pubblico più ampio.

Forse, al di là di dichiarazioni d'affetto, più o meno giustificate, per questo o quel libro, e di ogni giudizio estetico, la forza della nuova narrativa e il motivo di particolare attenzione a lei riservata da parte delle biblioteche, è il fatto che i lettori ci si possono rispecchiare, sia quando i nuovi narratori scrivono storie di ordinaria quotidianità, sia quando li portano in mondi paralleli, con trame ben congegnate, come benissimo sa fare la narrativa di genere.

Proprio la letteratura di genere ha il merito di avere aperto una breccia nelle iniziali resistenze del pubblico delle biblioteche ancora legato all'equazione fiction - letteratura anglosassone. La pubblicazione di romanzi polizieschi italiani, diventata consistente negli ultimi anni fino ad assumere le proporzioni di un fenomeno letterario, ha spostato l'asse delle letture, aprendo uno spazio di mercato per quella letteratura capace di proporre un intrattenimento intelligente. La grande intuizione di alcuni scrittori capaci di coniugare profondità, qualità e leggibilità — penso a Umberto Eco de *Il nome della Rosa* o ad Andrea De Carlo, dopo l'esordio calviniano — ha contribuito, in modo determinante, alla diffusione della nuova narrativa nelle biblioteche.

La questione della leggibilità, in particolare, mi sembra decisiva: il pubblico dei lettori ha infatti scoperto il piacere di leggere e il decalogo di Pennac — il diritto di non leggere, prima di ogni altro — molto prima dei bibliotecari.

Il lettore, in buona sostanza, rifiuta di leggere un libro che non sente scritto per lui, nei contenuti e nel linguaggio. Anche le biblioteche, negli ultimi dieci anni, hanno dovuto tenerne conto e hanno fatto saggiamente marcia indietro, mettendo in disparte l'atteggiamento un po' snob e pedagogico che ha sempre relegato in un ghetto la letteratura di genere e di intrattenimento. Ciò nonostante, l'establishment culturale nutre ancora un certo sospetto, quando non risentimento, nei confronti dello scrittore che vende. Avere successo presso un vasto pubblico è spesso giudicato sinonimo di scrittura commerciale e quindi di bassa qualità. Ne sono un esempio le critiche e le ironie anche feroci che hanno accolto Susanna Tamaro nella sua conversione a una scrittura più "popolare". Il pregiudizio nei confronti della letteratura "popolare" suona di disprezzo per i lettori e ha allontanato dalla pratica della lettura frotte di persone, ma è messo oggi in crisi da alcuni eclatanti risultati di mercato.

Il lettore che frequenta la biblioteca è un tipo umorale (e il suo umore è influenzato da giornali, tv e riviste femminili) e curioso, che procede per assaggi e per esclusioni; ama farsi catturare dal libro ed è attratto dalla grafica di copertina, dalle poche note sulla quarta oppure si lascia guidare dal consiglio di lettura dell'amico, piuttosto che del tal personaggio televisivo.

In ogni caso il lettore è contraddittorio e scostante nei suoi gusti, ma anche capace di improvvisi innamoramenti. Aggredito dall'offerta sempre più diversificata di consumo del tempo libero, trova sempre meno tempo per leggere, perché il suo tempo di lettura è sempre più residuale e nomadico. Ha quindi bisogno di libri adatti a una lettura sincopata, quasi distratta, ma anche in grado di assorbirlo completamente. Deve poter lasciare il libro in qualsiasi momento, ma, nello stesso tempo, trovarlo talmente coinvolgente da non staccarsene, se non a lettura ultimata.

Ebbene, gran parte della nuova narrativa italiana sembra rispondere a queste prerogative: coniugando qualità e leggibilità, inventa storie avvincenti e molto diverse tra loro, in grado di catturare l'attenzione e semplici da ricordare; libri dei quali è facile riprendere il filo interrotto. Il lettore apprezza questa versatilità e mostra di gradire l'aderenza di questi scrittori al quotidiano e alla stretta attualità.

Ultimamente, critica e pubblico si sono trovati d'accordo anche nel decretare il successo d'immagine della nuova narrativa. Le recenti polemiche — ma si sa che le polemiche servono spesso a farsi conoscere — tra scrittori "buonisti", "pulp", "spietati" e "next generation" compaiono spesso nelle colonne dei quotidiani e della stampa specializzata. Inoltre, da un po' di tempo, si moltiplicano le collaborazioni, a vario titolo, dei giovani scrittori a quotidiani e riviste di costume.

Non parliamo poi di quei casi a metà tra letterario e sociologico: lo strepitoso successo di vendite di *Va' dove ti porta il cuore*, l'affermazione personale dell'affabulatore di "Pickwick" Alessandro Baricco, la conferma di Andrea De Carlo (il suo libro generazionale *Due di due* è entrato nei Miti Mondadori), l'inaspettata esplosione di Enrico Brizzi, appena diciannovenne ai tempi dell'uscita del suo romanzo d'esordio, *Jack Frusciante è uscito dal gruppo*. Tutti casi che trovano, tra l'altro, puntuale conferma in biblioteca, dove si collocano nei top ten, con code di prenotazioni di mesi.

Ma il dato veramente nuovo è che questi e altri libri delle generazioni di scrittori post-settanta sono tra i pochi, insieme a classici di formazione come *Siddharta* e *Sulla strada*, che vengono scelti spontaneamente dai giovani lettori, al di fuori dei suggerimenti della scuola e che qualche "illuminato" insegnante comincia a inserire nelle bibliografie delle vacanze.

A dire il vero, il timido interesse da parte della scuola superiore giunge dopo il passaparola tra studenti che ha contribuito a diffondere "sotto il banco" i libri di alcuni autori. *Jack Frusciante* e *Due di due* a cinquemila lire scarse, negli Invicta dei "fratellini d'Italia", sono certamente una ventata di aria fresca per una scuola ferma, nel migliore dei casi, a Sciascia e Moravia, a patto che la diversità di questi libri, vicini in senso sociologico e generazionale a chi li legge, non venga stemperata dagli apparati critici. Non mancano esempi di normalizzazione, ma questa pretesa suona assurda come quella di normalizzare il rock.

I nuovi narratori, dunque, piacciono, fanno parlare di sé e, oltre ad essere telegenici ed avere l'onore, e forse l'onere, delle cronache, vincono anche i premi letterari, fino ad ora esclusivo territorio di caccia degli scrittori di scuderia, come nel caso del giovane esordiente Barbero.

Ormai, alcuni scrittori sono conosciuti ai lettori delle biblioteche tanto quanto nomi illustri della narrativa, di intrattenimento e non solo, d'oltreoceano, anzi non è eccessivo dire che nelle biblioteche italiane va di moda il made in Italy. Le lettrici, che sono la maggioranza di quel curioso animale polimorfo che è la categoria del lettore, (spesso, a sproposito, dato in via d'estinzione) passano, con la massima disinvoltura, da Isabel Allende a Maria Teresa Di Lascia, da Laura Esquivel a Susanna Tamaro o a Margaret Mazzantini, a dimostrazione di una completa intercambiabilità tra best seller italiani e best seller stranieri, e il fenomeno non è limitato alla letteratura femminile.

Farei notare, al proposito, il comune destino della nuova narrativa e della musica italiana dagli anni '80 in poi (rock italiano di qualità e cantautori): il successo di pubblico (parlando della musica, in qualche caso, addirittura superiore agli hit stranieri) e la rilevanza sociologica a livello giovanile.

Scrittori e musicisti italiani non fanno mistero di conoscersi e da parte degli scrittori c'è un forte interesse, quando non affetto dichiarato.

Un esempio per tutti: alla fine del '95, Valeria Viganò ha pubblicato una raccolta di racconti ispirati a celebri canzoni di Guccini, Fossati, ecc. Più in generale, è grande l'interesse dei nuovi narratori, soprattutto degli esordienti anni '90, verso il linguaggio del rock e dintorni (hip-hop, rap, reggae, ragamuffin', fino alla techno e alla dance). Spesso, la "lingua" rock entra in modo determinante nella struttura delle opere o nello stile della narrazione dei giovanissimi autori, da Brizzi in poi. Il pubblico giovanile trova nella pagina la propria colonna sonora e dà il via al tam tam, che dai banchi di scuola ai "muretti", fino alle biblioteche, raccomanda: "leggete quel libro, è dei nostri". Contaminazione della letteratura con altre discipline artistiche (cinema, musica, tv, arti figurative, fumetto, graffiti) o multietnica: è la parola chiave della nuova narrativa. Anche il Nuovo Cinema Italiano, sempre in cerca di storie da raccontare — da *Puerto Escondido* di Gabriele Salvatores (tratto dall'omonimo romanzo di Pino Cacucci) in avanti — ha cominciato a guardare con interesse ai giovani scrittori di noir.

Finora non sono mancati scrittori-sceneggiatori: Palandri, Ravera, G.F. Manfredi, Lucarelli, Piersanti, per fare qualche nome, o registi: Carraro, Camarca, De Carlo, ma non ci vorrà molto tempo per vedere film di registi italiani, tratti da romanzi della nuova narrativa, magari con la colonna sonora composta da musicisti italiani.

Partendo proprio da questa tendenza al melting pot culturale, allo sconfinamento reciproco delle discipline artistiche, può essere utile e divertente, per coinvolgere i post-adolescenti, fascia critica per la frequentazione della biblioteca e per la lettura in genere, sperimentare dei settori della biblioteca, quando non intere biblioteche, dove la contaminazione tra generi (musica, arte, letteratura, ecc.) argomenti (tempo libero, lavoro, sessualità, sentimenti, ecc.) e "media" (libro, CD, video, quadri, CD Rom, internet) sia totale. Penso a sezioni della biblioteca dove i ragazzi possano trovare saggi sociologici d'interesse adolescenziale o giovanile (educazione alla sessualità, droghe, moda, costume ecc.) nello stesso scaffale con i testi dei cantanti preferiti; dove, accanto a un video, un cd, un CD Rom interattivo di Vasco Rossi, Jovanotti o Peter Gabriel ci possa stare un libro di De Carlo o Culicchia, di Tondelli o Andrea Cotti, oppure riviste che parlino di libri, di musica e di sport, in un unico territorio di scelta, una sorta di mediateca per under 20.

Un recente sondaggio sulla lettura giovanile riporta un dato su cui riflettere senza inutili allarmismi: la generazione BIT (quella che si è nutrita della velocità del computer fin dall'infanzia) preferisce la lettura col walkman al libro; inventarsi l'ennesima contrapposizione con il walkman (e la musica), dopo quella, perdente, con la televisione, sarebbe un errore grave e senza ritorno; meglio sfatare la leggenda del libro noioso, lento, senza fascino e solitario, contrabbandando invece il libro come potente macchina-da-sogni e, magari, prezioso pretesto di seduzione.

Ma torniamo alla nuova narrativa.

Che ruolo hanno i bibliotecari in quello che appare come un vero e proprio exploit? Forse, l'incontro tra la maggioranza dei bibliotecari e la nuova narrativa italiana è avvenuto, al principio, sull'onda della legittima curiosità (molto bibliotecaria) nei confronti dei casi letterario-sociologici, ma l'importante è che il seme sia stato gettato. La capacità degli scrittori di promuoversi presso il grande pubblico, grazie a un marketing intelligente (in alcuni casi è strabiliante l'abilità nell'usare i mass-media, soprattutto la TV, per fare parlare di sé) e alla gradevolezza e al valore letterario dei loro libri ha intrigato anche i bibliotecari, convinti da questo calibrato mix di qualità e appeal. Molti di loro sono semplici "fiancheggiatori", altri sponsor di questo o di quello scrittore, altri ancora si possono definire degli "adepti".

È impossibile quantificare o stilare classifiche, al di là dei pochi nomi già fatti, sull'incidenza degli autori italiani nelle letture dei biblio-utenti ma sarebbe interessante lanciare un'inchiesta nelle biblioteche e nelle scuole superiori. Potrebbero scaturirne dati interessanti per il mercato (case editrici, librerie e agenti letterari), per la critica letteraria troppo lesta a etichettare o stroncare, per gli stessi scrittori (in alcuni casi il confronto con il pubblico "pagante" avrebbe un sano effetto di ritorno alla realtà) e, da ultimo, per insegnanti e bibliotecari.

Non vi è dubbio che il contributo dei bibliotecari nella diffusione della nuova narrativa sia decisivo. Per gli autori minori, nel senso di meno sponsorizzati, a volte basta una piccola spinta sotto forma di consiglio di lettura. Se l'assaggio è gradito, facilmente, verrà poi consumato l'intero menù.

Un modo per far conoscere gli scrittori esordienti è l'incontro con l'autore che, sempre più spesso, assume connotazioni amichevoli, a volte bizzarre, diventando, di volta in volta, tè o caffè letterario quando non "gelato in biblioteca" (per un quadro completo di queste diverse modalità si può consultare il saggio di Luca Ferrieri *La promozione della lettura*, Ed. Bibliografica, 1996). Nella maggior parte dei casi, infatti, i protagonisti di questi incontri — gli spagnoli hanno una intrigante parola per definirli: *tertulias* — sono autori esordienti o poco affermati.

I lettori delle biblioteche mostrano di gradire questi piacevoli momenti di cultura, che sono alla portata di tutti e vengono proposti in luoghi accoglienti, e gli scrittori hanno l'occasione di incontrare il loro pubblico in via informale, al di là del rito della dedica sul libro e della reciproca seduzione, rivelandosi, il più delle volte, ottimi comunicatori.

Questi incontri, visti anche solo sul piano squisitamente emotivo, a prescindere dai contenuti, hanno un effetto dinamizzante sul desiderio di lettura e quelli che che vi partecipano, sempre attenti alle dinamiche della comunicazione (simpatia, sincerità, umiltà, e consapevolezza del ruolo), premiano, con l'acquisto del libro, quegli scrittori che sanno essere affabili e cordiali ma, nello stesso tempo, un po' personaggi. Molte volte, e chi propone in biblioteca questi incontri lo sa, il contatto tra una trentina di lettori attenti e motivati ed uno scrittore crea momenti alti di comunicazione e di cultura.

In conclusione, l'attenzione ricambiata tra autori affermati e pubblico è in crescita esponenziale, ora la scommessa è continuare il lavoro di promozione degli scrittori meno di cassetta.

Gli strumenti in mano alle biblioteche non sono pochi, si va dai consigli di lettura che stimolano il tam tam e le affinità elettive tra lettori (bollettini dei lettori, club della lettura, lettore gemello, ecc.) alle vetrine delle novità, dalle bibliografie alle presentazioni, fino a privilegiare negli acquisti gli autori e le case editrici della nuova narrativa. Non è protezionismo, ovviamente, ma solo attenzione, un apertura di credito da parte delle biblioteche per dare un'opportunità in più a lettori e scrittori.

L'inventario che qui presentiamo si propone come un kit per smontare il fenomeno di superficie e di moda, contorno importante e seducente della Nuova Narrativa, per portarne alla luce il nucleo nascosto.

Lettori, scrittori e bibliotecari sono invitati a stabilire il contatto. Siamo certi che nessuno ne uscirà sedotto e abbandonato.

CERCATORI DI STORIE

CERCATORI DI STORIE, VIDEOSTORIE E CONTROSTORIE. DIECI PERCORSI DI LETTURA

a cura di Fulvio Panzeri e Franco Galato

1. Generazione tra anni Settanta e anni Ottanta
2. Under 25: un progetto di Pier Vittorio Tondelli
3. Gianni Celati e i narratori delle riserve
4. In classifica: best seller della nuova narrativa
5. Rock, pulp, trash: etichette per gli anni Novanta
6. Realismi dell'interiore
7. Nuove periferie multietniche
8. Reale, surreale, forse anche comico
9. Universi femminili
10. Nero italiano

I percorsi di lettura qui individuati attraversano la narrativa italiana degli anni Ottanta e Novanta e propongono una sorta di scaffale tematico organizzato per progetti culturali indicativi dell'innovazione e della crescita letteraria avvenuta in questi anni. Non si tratta di trovare nuove "etichette" per gli scrittori, le cui opere vengono segnalate nei percorsi di lettura, ma di offrire una guida per orientarsi in questo paesaggio complesso che questi "cercatori di storie" hanno lentamente costruito in una sorta di "teatro ambulante", per nulla statico, ma vivo e pulsante di tensioni innovative e di applicazioni critiche e progettuali di un certo interesse, per ridare vitalità alla forma del narrare. Ogni percorso di lettura, quindi, non intende operare una scelta di merito o codificare ciò che dal punto di vista letterario può sembrare ragguardevole in questi anni. Nemmeno vuole essere solo un itinerario di natura sociologica, teso a documentare gli sviluppi più conosciuti o le realtà narrative consolidate. Si è voluto semplicemente offrire delle "rotte", costruendo una mappa "immaginaria" per riorganizzare i tragitti, anche quelli più solitari, degli scrittori visti come "cercatori di storie" per offrire al lettore una possibilità più ampia: quella di raccogliere, lungo le piste esplorate, anche le storie dimenticate sugli scaffali, quelle meno "eminenti" o "clamorose", magari lasciate alla mercé di un oblio che solo nuovi "cercatori di storie" possono recuperare.

I percorsi di lettura sono stati così strutturati:

- un'introduzione, tra critica e sociologia letteraria, che spiega il tema e gli sviluppi del percorso di lettura;

- le schede bibliografiche relative ai libri individuati come essenziali per il percorso.

Le schede bibliografiche si riferiscono sempre all'edizione più recente.

1. Generazione tra anni Settanta e anni Ottanta

Ippolita Avalli, *Aspettando Ketty*
Dario Bellezza, *Nozze col diavolo*
Gianni Celati, *Lunario del paradiso*
Pino Corrias, *Inverno*
Andrea De Carlo, *Treno di panna*
  Uccelli da gabbia e da voliera
  Due di due
Claudio Lolli, *Giochi crudeli*
Marco Lombardo Radice - Lidia Ravera, *Porci con le ali*
Francesco Guccini, *Croniche epafaniche*
Michele Mari, *Filologia dell'anfibio. Diario militare*
Enrico Palandri, *Boccalone*
  La via del ritorno
Renzo Paris, *Cani sciolti*
Giovanni Pascutto, *La famiglia è sacra*
Alberto Piccinini, *Il futuro di Giulia*
Claudio Piersanti, *Casa di nessuno*
Lidia Ravera, *Per funghi*
Gilberto Severini, *Partners*
Miro Silvera, *Il prigioniero di Aleppo*
Alessandro Tamburini, *La porta è aperta*
Pier Vittorio Tondelli, *Altri libertini*
Giorgio van Straten, *Generazione*
Sandro Veronesi, *Per dove parte questo treno allegro*
Valeria Viganò, *L'ora preferita della sera*

Raccontare la "propria" generazione attraverso uno sguardo su se stessi, sul proprio mondo e su quello dei coetanei, sui propri desideri e sui sogni utopici di una dimensione collettiva pensata come modello di socialità è stata una delle motivazioni "forti" che ha spinto ragazzi di vent'anni ad occuparsi di letteratura, tra il finire degli anni Settanta e l'inizio degli anni Ottanta. Si trattava di soddisfare una propria "necessità di racconto". Tondelli, nel libro-intervista *Il mestiere di scrittore*, cerca di spiegare cosa si potesse intendere per "discorso generazionale" nei suoi libri: «Adesso faccio un po' fatica a parlare di questo. Dovrei ricordarmi in cosa lo identificassi dieci anni fa... Era il far riferimento a un orizzonte di comportamenti tipici di alcuni settori della cultura giovanile italiana o europea. Per me il discorso generazionale era quello. E i miei temi erano la droga, la libertà sessuale, l'emarginazione omosessuale, l'utopia... Rappresentava anche un gergo, consisteva anche nello scegliere di ascoltare o preferire determinati gruppi musicali piuttosto che altri o di occuparsi di un certo tipo di cinema. Tutto sommato implicava anche le scelte di un gusto che circoscriveva una fascia di comportamenti, un tipo di sensibilità. Tutto, naturalmente, in riferimento agli anni che si vivevano, al loro tempo preciso».

Anche se solitamente la critica tende a porre come fondamentali i libri di Pier Vittorio Tondelli e di Enrico Palandri, va detto che altri esempi, meno dirompenti dal punto di vista linguistico, hanno annunciato il mutamento. Su tutti si può segnalare Giovanni Pascutto che, con *La famiglia è sacra* (1977), segna l'emergere di una prospettiva decisamente inusuale nella lettura della realtà e della propria situazione generazionale. La pagina veloce e sincera di Pascutto inscena una protesta contro il clima politico, sociale e familiare degli anni in cui veniva pubblicato. Il romanzo si pone come l'anti-*Porci con le ali*. L'impegno collettivo e la scoperta dei rapporti sentimentali del libretto in questione vengono sostituiti da Pascutto con un controcanto personale, brancolante tra ricerca di una definizione di sé, nello scontro con l'istituzione-famiglia, e capacità di reazione rispetto alle depressioni e ai furori giovanili. Il "trionfalismo libertario" rivela la sua malinconia e mette in scena l'amarezza e le contraddizioni di una realtà resa incerta dal rapporto con gli altri. La condizione giovanile si mostra nel contesto di una storia amara, narrata all'insegna di uno sfogo autentico, spesso sarcastico nel suo desiderio buffo e anarchico, che trova le sue motivazioni e la sua autenticità nell'intimità, forse autobiografica, del racconto stesso.

Escono poi *Boccalone* (1979) di Enrico Palandri e *Altri libertini* (1980) di Pier Vittorio Tondelli, due romanzi che rappresentano scenari precisi di un microcosmo giovanile raccontato non solo come propria realtà, ma anche come espressione di gruppi caratterizzati da istanze e necessità culturali e affettive. Sia a livello linguistico che a livello tematico si può notare come questi materiali letterari abbiano rappresentato un elemento di rottura rispetto alla tradizione letteraria, presentandosi come documenti, oltre che come opere creative. I temi dell'aggregazione giovanile, della disperazione individuale e dei movimenti studenteschi, agli inizi degli anni Ottanta, venivano giocati, con molta incoscienza, da due ragazzi che carpivano il senso dell'emozione e dell'esistenza registrata per quello che effettivamente era e per i traumi e le euforie che comportava. In questo senso *Boccalone* e *Altri libertini* sono libri-cardine, più ancora di *Treno di panna* (1981) di De Carlo, il quale invece gioca su una realtà esterna, avventurosa, già anticipatrice del culto dell'esteriore che caratterizzerà il decennio.

La forza dei libri di Tondelli e di Palandri è quella di porsi al di fuori della letteratura, intesa in senso canonico, e della tradizione letteraria italiana in genere. La parola non ha carattere estetico, ma essenzialmente emotivo e musicale. Lo stesso dato strutturale, frammentario, quel riandare al "sound" della lingua, ne è conferma. Infatti le cronache universitarie bolognesi di Palandri e le desolazioni della provincia emiliana di Tondelli cercano di cogliere il divenire nel momento stesso in cui si compie, attraverso una narrazione che privilegia una dimensione del tempo come istante, anche nella scrittura, perché questa stessa è "emotiva", è "sound", quasi mimesi di un accordo musicale.

Generazionale a tutti gli effetti, pur se con stilemi narrativi diversi e decisamente più legati alla tradizione, è l'esperienza che racconta uno scrittore appartato e poco riconosciuto dalla critica come Gilberto Severini. Nella trilogia di *Partners* (1988) sono racchiuse storie di "collettivi" e "case comuni", tensioni sentimentali e incertezze affettive di questo decennio, il lento avvio alla celebrazione del lutto. Vi sono poi autori come Claudio Piersanti e Marco Lodoli, i quali al tema della "generazionalità" hanno dedicato i primi libri: *Casa di nessuno* (1980) e *Charles* (1986) nel caso di Piersanti, *Diario di un millennio che fugge* (1986) per quanto riguarda Lodoli. In seguito sceglieranno di approfondire un proprio mondo poetico ed espressivo: la ricerca di una disperata vitalità per Piersanti e la messa a nudo di un mondo stralunato e ai margini per Lodoli. Del resto Piersanti stesso così risponde, nel 1984, ad un questionario: «Io faccio parte della mia generazione, e per molto tempo la mia generazione ha praticamente coinciso col mio principio di realtà. Ora non è più così e frequento molto poco la mia generazione, pur conoscendone bene i problemi e la vita. Ma i problemi non sono un fattore eterno di coesione, alla lunga contano di più le scelte culturali e lo stile di vita. Come si fa a sentirsi espressione di una generazione se non si ama la musica più amata, i teatrini multicolori col volume degli altoparlanti troppo alto, il filosofo degli ultimi mesi tutto frammenti o il partito politico in cui fare rapida carriera? Ma i miei gusti neppure coincidono con quelli di un'altra generazione. Insomma sono diventato un individuo, e cerco negli altri individui qualcosa che mi piaccia».

Durante tutto il decennio degli anni Ottanta è stata comunque forte la necessità di rielaborare la propria dimensione generazionale, quasi per ritrovare una nuova "identità", in una spietata autoanalisi personale. Lidia Ravera, ad esempio, dopo riuscite scorribande letterarie "di genere", ritorna, con *Per funghi* (1987) e *Voi grandi* (1990), a indagare su ciò che sono diventati, a quindici anni di distanza, Rocco e Antonia, i ragazzi protagonisti di *Porci con le ali* (1976), scritto con Marco Lombardo Radice. La Ravera giudica, non partecipa alle storie, ma ne registra i movimenti, ne calibra le tensioni, modifica paesaggi e situazioni: storie a tema, dunque, quasi apologhi emblematici.

Anche Andrea De Carlo con *Due di due* (1989), torna ad un ampio affresco generazionale. La vicenda accompagna il lettore in un cammino retrospettivo sul Sessantotto, con i due giovani protagonisti sui banchi del liceo, incerti tra la scelta di un proprio ruolo e la visione di sé all'interno della società. Ne esce la storia di un'amicizia, vista attraverso singole vicende, nel tentativo di sfuggire alla realtà di una Milano invivibile. Lo sguardo di De Carlo prelude al tema del "ritorno a casa" che sarà una costante nelle opere di tutti i narratori che hanno esordito agli inizi degli anni Ottanta. Affrontare il passaggio dal tempo generoso, impulsivo e forse inconscio della generazionalità a quello di una più matura e lucida consapevolezza della propria individualità sembra un atto necessario, per tornare a pensarsi narrativamente. Si può parlare di elementi "generazionali" anche in Alessandro Tamburini e in Giorgio van Straten, autori il cui esordio è quasi contemporaneo. Le vicende che raccontano e gli elementi tematici che le caratterizzano lasciano da parte il discorso aggregativo e si accentrano sulla crisi d'identificazione e sulla solitudine percorsa da rancori, disillusioni e pacate malinconie. In *Nel nostro primo mondo* (1990) di Tamburini e in *Hai sbagliato foresta* (1989) di van Straten, emergono, con maggior evidenza, temi già accennati nei libri d'esordio. La novità sostanziale, rispetto al discorso generazionale, è quella di mettere in rilievo personaggi in preda alla disillusione che vivono la realtà come straniamento, non potendo più identificarsi con essa. I due narratori danno, però, spiegazioni diverse. Per van Straten è importante evidenziare il disorientamento politico e la messa in discussione dell'impegno ideologico. Per Tamburini, invece, la lacerazione è di natura più esistenziale, appartiene alla cognizione di un vuoto affettivo; la comunicazione e il dialogo divengono precari e la mancanza di parola vibra dentro i paesaggi immobili della provincia italiana.

L'addio a una età e a un modo di intendere la vita legato all'immaginazione e alla festa, alla libertà e all'amicizia è anche il tema di *Giochi crudeli* (1990) di Claudio Lolli. Ogni racconto, più che costruirsi, si aggroviglia intorno ad un'esperienza legata al tradimento e alla perdita. Il furore espressivo viene impresso da Lolli proprio nei vari tentativi di salvare l'entità dei rapporti, di cercare affannosamente di restituire il vero senso delle amicizie. In questi racconti si muore, si scompare, ci si lascia e si vive alla deriva, alla ricerca di qualcuno con cui ancora poter parlare e poter ubriacarsi, poter osservare con innata meraviglia i minimi eventi quotidiani. Lolli racconta la progressiva integrazione e la ricerca di sicurezze, in tutti i sensi, da quelle familiari, a quelle economiche, che ha mutato radicalmente il modo di essere nel corso degli anni Ottanta. Eppure c'è sempre una tendenza alla ribellione da parte dei protagonisti: l'isolamento non può essere definitivo. Rimane la condizione irrisolta di un vivere senza radici che è poi anche il senso delle revisioni sul tema della generazione sviluppato dalla narrativa negli anni Ottanta. Ne sono esempio anche due percorsi femminili: quello di Alessandra Buschi con *Dire fare baciare* (1990) e quello di Valeria Viganò con *L'ora preferita della sera* (1995). Nei racconti della Buschi aleggia il senso di una disillusione sentimentale, rimangono le tracce di una generazione persa che non sa più disegnare se stessa, se non nel ripensamento del proprio disagio e dei propri rapporti interpersonali. La Viganò, invece, presenta otto racconti ispirati alle canzoni dei cantautori italiani che hanno accompagnato la generazione che ora si avvicina ai quarant'anni. In questo libro raccoglie con disincanto, le accelerazioni sonore e le emozioni che la musica sembra aver raccolto in sé, sviluppando l'idea di una generazione di sognatori che si ritrova a dover fare i conti con una realtà esterna, con uno sguardo lucido, in grado di raccogliere le ambizioni e i desideri lasciati alle spalle e le ombre del presente.

AVALLI, Ippolita. *Aspettando Ketty*. Feltrinelli, 1982.
La spogliarellista che scatena un putiferio in platea, la donna che fa un lavoro "da maschio" per mantenere l'amica del cuore, la spacciatrice che vuole educare il figlio in un collegio svizzero. Una raccolta di racconti, tutta al femminile, per rivelare come le donne siano capaci di sopravvivere in un mondo metropolitano e ostile, trasformando le proprie debolezze in punti di forza.

BELLEZZA, Dario. *Nozze col diavolo*. Marsilio, 1995.
Nello scenario di un'infanzia solare, turbata da traumi e da desideri, si sviluppa un itinerario di crescita che porta verso la Roma degli anni Settanta, tra dissoluzioni, droghe e amori disperati. Un poeta-romanziere racconta, attraverso se stesso, la vita agra di una generazione divisa tra eccesso e patimento.

CELATI, Gianni. *Lunario del paradiso*. Feltrinelli, 1996.
Siamo intorno al 1960. I Beatles fanno la prima apparizione in un locale di Amburgo. Giovanni si innamora di Antje, una ragazza tedesca, e parte per il Nord. Il suo viaggio, raccontato con ritmo jazzistico, sarà costellato di avventure tragicomiche e rabbie politiche e si concluderà con l'affermazione di una piccola utopia: "fatevi anche voi delle storie".

CORRIAS, Pino. *Inverno*. Savelli,1979.
"Fu un inverno freddo quell'anno a Milano compagno Majakovsky". Inizia così la storia di un viaggio attraverso Milano, nell'inverno a cavallo tra il '77 e il '78. Dopo la sconfitta degli Indiani Metropolitani, si affaccia sulla

scena il Partito Armato. Un gruppo di militanti, impegnati in discussioni a volte un po' retoriche, gira per i ritrovi della sinistra. Sullo sfondo una città crepuscolare e impaurita.

DE CARLO, Andrea. *Treno di panna*. Einaudi, 1981.
Storia di un ragazzo italiano giunto a Los Angeles, a casa di due amici conosciuti durante una vacanza in Spagna. Cerca d'arrangiarsi con mestieri occasionali: fa il cameriere in un ristorante e poi insegna l'italiano in una scuola privata di lingue. Allaccia rapporti, relazioni, ma non sembra mai sentirsi davvero coinvolto da una persona o da una situazione.

DE CARLO, Andrea. *Uccelli da gabbia e da voliera*. Einaudi,1982.
Fiodor Barna, giovane italiano che sbarca il lunario in America come musicista, si trova improvvisamente nei guai. Decide, perciò, di accettare l'offerta di un lavoro a Milano fattagli dal fratello. Nella città fredda e ostile, Fiodor conosce un pittore e si innamora della sorella di lui, un tipo misterioso e sfuggente. La sua vita è un continuo perdere e trovare la ragazza, fino a un vero e proprio inseguimento che lo porterà ad Atene.

DE CARLO, Andrea. *Due di due*. Mondadori,1995.
L'amicizia di Guido e Mario nasce sui banchi di scuola alla fine degli anni Sessanta e attraversa vent'anni di storia italiana, dalla contestazione studentesca fino alla fine degli anni Ottanta. Guido, istintivo e irrequieto, viaggia in molti paesi, vive diverse storie d'amore e scrive due libri, ma, prigioniero delle proprie inquietudini, è sempre disilluso dalla squallida realtà che lo circonda. Mario, timido e riflessivo, va a vivere in campagna, con una compagna e due figli, dove fonda un'azienda agricola.

GUCCINI, Francesco. *Croniche epafaniche*. Feltrinelli, 1991.
L'infanzia in un paesino dell'Appennino emiliano nel primo dopoguerra. L'affresco, comico e poetico, di una comunità contadina ormai scomparsa,

le scorribande dei ragazzini, una teoria di personaggi veri e curiosi e una saga familiare raccontata con un linguaggio visivo e immediato che ricorre ampiamente al vernacolo e ai ritmi del parlato.

LOLLI, Claudio. *Giochi crudeli*. Feltrinelli, 1992.
Raccolta di racconti sul tradimento e la perdita, per recuperare il senso autentico dell'amicizia. La scrittura comunica la nostalgia di una vita dialogata, in cui non ci sono solo cose da vedere o da subire, ma permangono discorsi da imbastire, parole da comunicare, amicizie da coltivare, magari anche attraverso un'Agenzia di incontri.

LOMBARDO RADICE, Marco - RAVERA, Lidia. *Porci con le ali*. Mondadori, 1996.
Uno dei primi manifesti generazionali degli anni Settanta. La storia d'amore fra Rocco e Antonia, adolescenti che si preparano ad entrare nell'età adulta, in un periodo di grande fermento politico e culturale, profondamente marcato da varie ideologie (comunista, femminista, libertaria, ecc.) e per questo attraversato da acute contraddizioni che si riflettono in modo sia comico che drammatico nella vita intima dei protagonisti e dei loro amici.

MARI, Michele. *Filologia dell'anfibio*. Bompiani, 1995.
Il servizio militare raccontato con piglio filologico, spirito classificatorio e uno stile incline alla parodia e all'arcaismo. Un viaggio in una sorta di universo parallelo, una esperienza letteralmente "incredibile", illustrata con precisione e completezza, così da diventare una testimonianza in cui tristezza e squallore si intrecciano con una sotterranea comicità.

PALANDRI, Enrico. *Boccalone. Storia vera piena di bugie*. Feltrinelli, 1988.
Tenero e rissoso pamphlet di sentimenti dove si descrive la primavera, il teatro di piazza, la politica, la Spagna del Generalissimo, la gioia, la paura, e poi Anna, la salopette bianca, Bologna, il Movimento, Radio Alice... In un lungo flashback, in cui si mescolano riflessioni sulla scrittura, Enrico racconta la sua storia vera, piena di bugie.

PALANDRI, Enrico. *La via del ritorno*. Bompiani, 1991.
Durante un viaggio da Londra a Roma, il protagonista, in bilico tra un melanconico presente e un passato avventuroso, si abbandona ai ricordi. Il paesaggio sfila davanti ai suoi occhi, scandito da frammenti vivi di memoria in cui riemergono persone, fatti, occasioni. Sullo sfondo, Julia lo attende, unica cerniera col futuro.

PARIS, Renzo. *Cani sciolti*. Transeuropa, 1988.
Scritto a ridosso del '68, è uno dei pochi romanzi che abbia saputo dar conto del fiammeggiante universo politico degli anni Settanta e della contestazione giovanile, cogliendo i grumi di rabbia, il clima violento che avvolgeva i giorni e le illusioni. I quattro protagonisti sono in realtà quattro aspetti di un medesimo personaggio.

PASCUTTO, Giovanni. *La famiglia è sacra*. Mondadori, 1977.
Un giovane eroe arrabbiato e senza illusioni racconta con piglio ironico, a volte dolente e agro, la propria ribellione nei confronti di un'istituzione, quella familiare. Attraverso la messa a nudo dei conformismi, egli cerca una ragione per la propria esistenza e per la propria individualità.

PICCININI, Alberto. *Il futuro di Giulia*. Transeuropa, 1995.
Un romanzo che racconta la generazione dei quarantenni di oggi e i loro destini, tra viaggi, militanze politiche, amori perduti e intrighi destinati a sfociare nel delitto. Storie parallele intrecciate dal caso, come per i due protagonisti la cui amicizia, nata sui banchi di scuola, attraversa l'epoca dell'impegno politico, il '77, fino agli anni Ottanta... Quando uno dei due si troverà invischiato in una vicenda dagli inquietanti e minacciosi contorni.

PIERSANTI, Claudio. *Casa di nessuno*. Sestante, 1993.
Pagine di diario in cui un personaggio estroso ed irrequieto racconta delle

case dove gli capita di abitare e di Dora, inseguita per una città, forse solo sognata. I pensieri "vengono fuori piccoli dal cappello, ma diventano subito così grandi da sbigottirmi...".

RAVERA, Lidia. *Per funghi*. Theoria, 1987.
Un gruppo di trentenni un po' "reduci", un po' cinici e disincantati si ritrova, un fine settimana, in un casale di campagna nel cuore della Maremma. Tra conversazioni oziose e tradimenti consumati in fretta, le ore passano nel ricordo del "come eravamo". Innocente ma attenta osservatrice, Polly Anna, una bimba "eccezionalmente anormale", osserva, senza indulgenze, dall'alto dei suoi otto anni, la commedia di questi maniaci sentimentali. Il "Grande Freddo", condensato in un breve racconto che suona come un'impietosa sferzata.

SEVERINI, Gilberto. *Partners*. Transeuropa, 1988.
Tre brevi romanzi, *Consumazioni al tavolo* (1982), *Sentiamoci ancora qualche volta* (1984), *Feste perdute* (1988) compongono la trilogia di *Partners*. L'autore vi rappresenta scene di vita quotidiana, colte nel passaggio dalla giovinezza all'età adulta, in cui si manifestano disillusioni, mode culturali, riti generazionali. La desolazione della provincia accresce il peso degli anni che passano, trascinandosi appresso la vita e le sue incertezze.

SILVERA, Miro. *Il prigioniero di Aleppo*. Frassinelli, 1996.
La riscoperta della propria identità ebraica diventa una storia "generazionale" e impone il recupero delle radici, intuito come "un atto doveroso di paternità". Il romanzo è la storia della formazione di un giovane italiano che, alla fine del 1968, accompagna la madre a Beirut e decide di raggiungere Aleppo, la città dove è nato, con la complicità di un avventuroso taxista. Sarà attratto e affascinato dai ricordi familiari, che emergono dall'incontro con Zaki, un anziano parente, figura simbolo di custode e depositario della memoria.

TAMBURINI, Alessandro. *La porta è aperta*. Marsilio, 1994.
Raccolta di racconti che propone una radiografia dei sentimenti: la crisi matrimoniale, il difficile rapporto con i figli, l'amarezza della solitudine, l'insoddisfazione. Sullo sfondo, uno scenario di provincia che sembra amplificare l'intensità delle situazioni, fino a renderle un emblema della condizione umana.

TONDELLI, Pier Vittorio. *Altri libertini*. Feltrinelli, 1991.
È il libro d'esordio di Tondelli e si compone di sei racconti, anche se lo scrittore ha preferito definirlo un "romanzo a episodi". Ogni storia, pur costituendo un'unità a sé, trova il suo compimento nell'insieme che ha "come filo comune l'esperienza dei giovani degli anni Settanta fra viaggi a Amsterdam e Londra, lotte studentesche, ricerca della propria identità, utopie di libertà".

VAN STRATEN, Giorgio. *Generazione*. Garzanti, 1987.
Questo romanzo, ritratto insieme lirico e smagato di una generazione, non racconta le sue scelte estreme (terrorismo, autodistruzione, yuppismo) ma si sofferma sulle vicende di gente comune. Diverse istantanee, vecchie polaroid di vari momenti dagli anni '60 ad oggi. La storia dei nostri ultimi trent'anni è lo sfondo di un destino individuale fatto di legami famigliari e passioni adolescenziali mai sopite. E da ultimo l'attesa di un evento che costringa a "pensare tutto da capo".

VERONESI, Sandro. *Per dove parte questo treno allegro*. Bompiani, 1991.
In una Roma/EUR estiva, deserta, vagamente pasoliniana, un padre simpatico ma inaffidabile, detto Mitchum per via della sua somiglianza con il noto attore, incontra, dopo molto tempo, il figlio. Reduce da una serie di fallimenti subiti con sincera nonchalance, propone al giovane di recuperare clandestinamente in Svizzera un gruzzolo scampato al sequestro dei beni di famiglia. Comincia così un viaggio a ritroso, tragicomico e insensato, nel ricordo di una madre bellissima e perduta.

Viganò, Valeria. *L'ora preferita della sera*. Feltrinelli, 1995.
Raccolta di racconti ispirati ai motivi dei cantautori italiani più amati dalla generazione che ha provato a cambiare il mondo e le regole del gioco. Una nota canzone di Guccini diventa una lettera ad un'amica; con un'altra si ricostruisce l'equilibrio dopo la fine di un amore grazie a piccoli gesti e minime avventure; un ex terrorista trascorre i suoi giorni in una sorta di limbo esotico. Otto racconti dove protagonisti non sono gli eventi e il paesaggio, ma la modulazione dei sentimenti e lo sguardo dei personaggi.

2. UNDER 25: UN PROGETTO DI PIER VITTORIO TONDELLI

Silvia Ballestra, *Compleanno dell'iguana*
Romolo Bugaro, *Indianapolis*
Alessandra Buschi, *Dire fare baciare*
Andrea Canobbio, *Vasi cinesi*
Guido Conti, *Della pianura e del sangue*
Giuseppe Culicchia, *Tutti giù per terra*
Andrea De Marchi, *Sandrino e il canto celestiale di Robert Plant*
Gabriele Romagnoli, *Navi in bottiglia*
Pier Vittorio Tondelli, *Camere separate*
 Un weekend postmoderno
 L'abbandono

Sono trascorsi dieci anni dalla pubblicazione della prima antologia del "Progetto Under 25", curato da Pier Vittorio Tondelli per Transeuropa, piccola casa editrice di Ancona, già allora di tendenza, che sanciva un rapporto di stretta collaborazione tra lo scrittore emiliano e il giovane editor Massimo Canalini. Nessuno poteva pensare, allora, nonostante la novità degli strumenti attivati, che quel "progetto" avrebbe anticipato, alcuni temi cardine su lettura e scrittura, poi ampiamente dibattuti degli anni Novanta. Eppure, a Tondelli, questa forza innovatrice, che nel corso degli anni, dopo *Giovani Blues* (1985), ha prodotto altre due antologie, *Belli & perversi* (1987) e *Papergang* (1990), non viene ancora riconosciuta del tutto. Anche se da quelle antologie sono usciti alcuni tra i narratori più interessanti di questi anni, da Gabriele Romagnoli a Andrea Canobbio, da Claudio Camarca a Guido Conti, da Silvia Ballestra a Giuseppe Culicchia, da Romolo Bugaro a Andrea De Marchi, il fine di Under 25 non è stato solo una ricerca di nuovi scrittori, ma un progetto culturale ben più articolato.

Analizzando il progetto Under 25, nella sua struttura e nel percorso metodologico, così come è stato impostato da Tondelli in un'intera sezione del volume *Un weekend postmoderno* (1990), ci troviamo di fronte alla definizione di una vera e propria "didattica della scrittura e della lettura", intesa come possibilità di espressione e di comunicazione. I punti nodali delle indicazioni di Tondelli vanno ricondotti a tre centri d'interesse: la scrittura come espressione del proprio vissuto; la riscrittura come esercizio di stile; la lettura come strumento di ricerca e di crescita. Sottolinea Tondelli che, nell'ottica dello scrittore, la pubblicazione non è il fine della scrittura, bensì un banco di prova. La possibilità di confrontarsi con la pagina scritta e con il giudizio di un possibile lettore diventa la verifica finale. La pubblicazione è un atto che non prevede l'assunzione di un ruolo (quello dello scrittore), ma che mira a soddisfare una necessità di comunicazione.

L'invito di Tondelli ai giovani al di sotto dei venticinque anni è quello di sviluppare la propria creatività, attraverso lo strumento letterario, senza la presunzione di inventarsi scrittori. Infatti, sottolineava: «il nostro scopo è, e rimane, quello di far raccontare i giovani». Aggiungeva anche: «Under 25 si propone come progetto collettivo alla cui riuscita contribuiscono tutti quanti hanno inviato i loro testi. Under 25 infatti non la vedo come una semplice antologia, ma come un'inchiesta condotta con gli strumenti della narrazione sulla creatività delle nuove generazioni. In un certo senso, questo progetto, si situa tra un'ipotesi di sociologia culturale e un'indagine letteraria».

Per lo scrittore emiliano è importante definire anche le ragioni che spingono i giovani ad affrontare la prova della scrittura. Anzi, a livello metodologico è per lui indispensabile chiarire le motivazioni: «Dove si impara a scrivere? Come si apprende l'uso dello strumento linguistico? In che modo? Non ci sono forse già troppi scrittori in Italia per promuoverne altri addirittura ventenni? E perché questi ragazzi scrivono? Perché c'è bisogno solo di un foglio di carta? Sono tutte domande che trovano una fra le tante risposte in un'attività ben precisa: quella del leggere. Questi giovani scrivono perché hanno letto, scrivono perché leggono. Quindi la scrittura nasce dal leggere. I giovani scrivono perché sentono il bisogno di imitare la situazione del narrare». Sono utilissime anche le indicazioni di lavoro che, via via, Tondelli comunicava, con la raccomandazione di scrivere «racconti brevi, ricordando che il racconto è il miglior tempo della scrittura emotiva e parlata». E ancora: «Ricordate che quando vi mettete a scrivere, state facendo i conti con un linguaggio fluido e magmatico che dovrete adattare alla vostra storia senza incorrere nello stile caramelloso della pubblicità o in quello patetico del fumettone. Il modo più semplice è scrivere come si parla (e questo è già in sé un fatto nuovo, perché la lingua cambia continuamente), ma non è il più facile».

Un altro punto sottolineato è il fatto di non considerare un testo come assoluto: la scrittura è un continuo esercizio soggetto a modifiche. In tal senso Tondelli invitava: «Non abbiate paura di buttar via. Riscrivete ogni pagina, finchè siete soddisfatti. Vi accorgerete che ogni parola può essere sostituita da un'altra. Allora scegliendo, lavorando, riscrivendo, tagliando sarete già in pieno romanzo».

C'è poi la necessità in Tondelli, prerogativa centrale anche in Under 25, di stabilire una comunicazione con i giovani in grado di coinvolgere entrambe le parti: lo scrittore che dialoga sulle proprie letture, presentate non con taglio critico, ma come risultato di un coinvolgimento emotivo ed esperienziale; i giovani che comunicano la crescita di sé attraverso la lettura, nell'atto concreto del racconto.

Anche la scelta delle "scritture" per Tondelli non è a senso unico e soprattutto non vuole imporre uno "stile giovanile", scegliendo tra di loro possibilità espressive e comunicative della lingua assai diverse, come poi hanno dimostrato nella loro evoluzione verso l'autonomia di scrittori i molti autori pubblicati nelle antologie di Under 25. Scriveva Tondelli nella nota di edizione a *Papergang:* «Quello che Under 25 ha cercato di fare, in questi cinque anni, è stato semplicemente accostare alcuni giovani, lavorare con loro e pubblicare il risultato di questo lavoro. Fin dall'inizio ho detto assai semplicemente che non volevo diventare un talent scout, né che Under 25 intendeva consacrare nuovi autori. I racconti, pur nella loro autonomia espressiva etematica, si rafforzavano l'uno con l'altro. Si creavano corrispondenze interne tra una narrazione e l'altra. Non esistevano autori più forti e altri più deboli, ma i testi si succedevano in una scansione ritmica ordinata dal curatore. In questo senso era già implicita, nella sequenza dei testi, una indicazione di lettura».

Unitarietà all'interno dell'antologia, ma anche molto rispetto per le differenze linguistiche e stilistiche. Una prerogativa del lavoro di Tondelli, è di aver favorito una crescita degli scrittori under 25, non nel segno dell'omologazione, ma in quello dell' accentuazione della lingua, da far crescere non secondo un modello, ma come necessità del proprio mondo. Ecco quindi l'espressionismo borgataro di Claudio Camarca; le macerie del cuore in una provincia sfinita della Buschi; il côté comico e svagatamente surreale e ossessivo di Culicchia; l'impasto giovanil-metropolitano della Ballestra; il postmoderno, tra videostoria e leggenda metropolitana, su ritmi alla Tom Waits, di Gabriele Romagnoli; la reinvenzione di una linea che va da Perec a Calvino, per Canobbio; l'"on the road" sentimental-arbasiniano di Andrea Demarchi; il ritorno alla tradizione di una Padania da grand-guignol della terra macerata e del cielo agognato in Guido Conti e le periferie del nulla di Romolo Bugaro. Sono frammenti espressivi che, valutati ora nella crescita di scrittori, forse risultano inaccostabili tra di loro. Ciò che li unisce è la loro distanza, unificata da un'esperienza che, generando la differenza, sempre ad alto livello, impone la sua esemplarità.

BALLESTRA, Silvia. *Compleanno dell'iguana*. Transeuropa/Mondadori, 1991.
Un romanzo breve e cinque racconti animati dagli stessi personaggi: giovani alternativi, punk e tossicomani della provincia di Pescara. Uno di questi è Antò Lu Purk — protagonista del romanzo — che dagli Abruzzi arriva a Bologna per frequentare l'università e sogna di raggiungere Kreutzberg, mitico quartiere di Berlino.

BUGARO, Romolo. *Indianapolis*. Transeuropa, 1993.
Una quotidianità esasperata, vissuta nel grigiore delle metropoli del nord, in un'atmosfera da "nero italiano", accompagna queste storie di vita agra. La ribellione al vuoto metropolitano diventa la ragione, anche inconsapevole, che muove i gesti di questo mondo giovanile irrequieto e senza apparenti motivazioni.

BUSCHI, Alessandra. *Dire fare baciare*. Il lavoro editoriale, 1990.
Raccolta di racconti che riporta al mondo della provincia, com'era negli anni Ottanta, molto attivo e in grado di dar luogo a quell'autenticità che la città sembra soffocare. I protagonisti sono giovani che cercano di

ricostruire le proprie identità, dovendo fare i conti anche con l'esperienza del lutto, in un tempo che trascorre lento, convivendo con il rischio continuo di una frantumazione della coscienza.

CANOBBIO, Andrea. *Vasi cinesi*. Einaudi, 1989.
Claudio scappa di casa e si rifugia in una pensione per leggere un libro. Claudio è alla ricerca del lago dell'arcobaleno. Claudio fugge e ritorna, viene ucciso ma rinasce. Claudio, infine, entra nella casa di uno scrittore che è il narratore, voce dapprima esterna al racconto poi personaggio che interagisce con il protagonista.

CONTI, Guido. *Della pianura e del sangue*. Guaraldi, 1995.
Il duro mondo contadino nei suoi riti e nella sua dignità è protagonista di questi racconti che fanno dell'inattualità una virtù e recuperano, attraverso una scrittura gonfia di umori, la tradizione padana. Descrivere questo mondo apparentemente scomparso significa, per l'autore, ritrovare le proprie radici e il senso sacrale della terra che genera la vita e la sua autenticità.

CULICCHIA, Giuseppe. *Tutti giù per terra*. Garzanti, 1996.
Cosa può fare un giovane senza lavoro, disilluso quanto basta, in attesa di partire per il servizio civile? Iscriversi all'università, seppure senza convinzione, appena in tempo per vedere le ultime fasi dell'occupazione organizzata dalla "Pantera". Uno sguardo impietoso si diverte a inquadrare l'intellettuale di turno, la discoteca più in voga, gli incontri nei corridoi della facoltà. Ma inaspettata arriva la chiamata del ministero. Destinazione: servizi sociali.

DEMARCHI, Andrea. *Sandrino e il canto celestiale di Robert Plant*. Mondadori, 1996.
Sandrino e l'amico Frassati lasciano l'anonima periferia piemontese per raggiungere le grandi capitali della cultura nazionale. Li muove un sogno: la

nascita del "Teatro a domicilio". Tra feste di tondelliana memoria e curiosi incontri, Demarchi esplora i miti delle giovani generazioni facendosi accompagnare da illustri angeli custodi: Robert Plant, ma anche Grotowski, Roger Corman, Goethe e Marc Almond.

ROMAGNOLI, Gabriele. *Navi in bottiglia*. Mondadori, 1995.
Raccolta di racconti brevi, di una o due pagine, alla ricerca di una diversa dimensione metropolitana. Ciascuna di queste micro-vicende delinea un paesaggio deformato e deformante, una zona senza confine, in cui la realtà si trasfigura nell'assurdo per sfuggire al mondo, "dove ogni felicità, ogni dolore, può essere un incredibile equivoco".

TONDELLI, Pier Vittorio. *Camere separate*. Bompiani, 1991.
È stato definito il romanzo della maturità di Tondelli, scritto come una lenta elegia che offre il ritratto interiore di un uomo alla ricerca del proprio presente. Secondo le parole dell'autore, "la storia di un percorso scandita in tre movimenti-capitoli concentrici e contigui come un'operetta di musica ambientale. Il tema della morte, del lutto per la perdita del compagno, la religiosità, la madre, il paese, i viaggi, l'amicizia costituiscono il tessuto narrativo di una complessa ricerca di interiorità e di approfondimento".

TONDELLI, Pier Vittorio. *Un Weekend postmoderno*. Bompiani, 1993.
Romanzo critico sugli anni Ottanta, *Weekend* ripercorre il decennio, attraverso i gusti, le vicende e le letture di uno scrittore che è stato molto di più di un semplice spettatore. Tondelli lo ha definito "un viaggio per frammenti, reportage, illuminazioni interiori, descrizioni partecipi e dirette, nella parte degli anni Ottanta più creativa e sperimentale. È un viaggio nella provincia italiana, fra i suoi gruppi teatrali, fra i suoi artisti, i filmaker, i videoartisti, le garage band, i fumettari, i pubblicitari, la fauna trend".

TONDELLI, Pier Vittorio. *L'abbandono*. Bompiani, 1993.
È il seguito di *Un weekend postmoderno* e rappresenta l'altra dimensione del viaggio compiuto da Tondelli al centro della scrittura, intesa come esercizio, laboratorio di stile (la sezione *Il mestiere di scrittore*), ma anche come riconsiderazione del percorso fatto nell'arco di un decennio, con particolare attenzione al genere autobiografico. I singoli racconti si presentano come "materiali di scrittura, stati d'animo, frammenti emotivi che possono stimolare la fantasia e l'immaginazione più di una piatta catena consequenziale di avvenimenti".

3. GIANNI CELATI E I NARRATORI DELLE RISERVE

Marco Belpoliti, *Italo*
Ermanno Cavazzoni, *Il poema dei lunatici*
Gianni Celati, *Narratori delle pianure*
  Verso la foce
Nico Orengo, *Ribes*
Sandra Petrignani, *Il catalogo dei giocattoli*
Claudio Piersanti, *L'amore degli adulti*
Maurizio Salabelle, *Un assistente inaffidabile*
Beppe Sebaste, *Café Suisse e altri luoghi di sosta*

Negli anni Ottanta, dopo un lungo periodo di silenzio, Gianni Celati pubblica un nuovo libro *Narratori delle pianure* (1985) che muta radicalmente le prospettive di scrittura rispetto al trittico de *Le avventure di Guizzardi, La banda dei sospiri, Lunario del paradiso*, pubblicati negli anni Settanta. Quello che in questi libri era il magma, l'allucinazione, la sconnessione grottesca di Celati, in *Narratori delle pianure* diventa raccontare lento, una sorta di mimesi della parola. Il ritmo si immerge non più nella sarabanda delle effervescenze linguistiche, ma in una lenta esplorazione della follia surreale del quotidiano. Infatti, se la scrittura di Celati sembra mutata, l'ambito degli interessi risulta parallelo al mondo favoloso, bizzarro, estroverso e ironico, de *La banda dei sospiri*; anche i nuovi racconti inscenano un teatro ambulante delle pianure. Ogni personaggio è come braccato dalla troppa naturalità, da una follia cheta, che anela a sicurezze, desideri, sogni ad occhi aperti.

Anche in *Quattro novelle sulle apparenze* (1987), ma ancor di più in *Verso la foce* (1989), il nuovo corso narrativo di Gianni Celati focalizza la nuda identità della parola, chiamata ad evocare la forma e l'essenza degli oggetti e delle cose. Celati accosta gli argini, s'aggira per le campagne che si stendono in corrispondenza del fiume. La scrittura è cinematografica. Il racconto segue l'obiettivo che si avvicina, indietreggia, passa dal campo lungo al primo piano. *Verso la foce* potrebbe essere anche un esempio di rappresentazione geografica della letteratura; è, infatti, una geografia umana quella che anima le pagine di Celati.

L'atto conclusivo di questo viaggio padano è rappresentato da un romanzo visivo, *Il profilo delle nuvole* (1989), elaborato col fotografo Luigi Ghirri, un progetto di comunicazione artistica con una grande valenza metodologica. Gli anni Ottanta, infatti, determinano la realtà di uno scrittore isolato nel suo mestiere, chiuso nel proprio mondo espressivo. Questa condizione è spesso sentita come un limite, quasi un'impossibilità della parola a definire se stessa, a creare consistenza. Emerge, a più livelli, il bisogno di superare l'atto solitario dello scrivere: con il fotografo, Celati costruisce un "poema" padano, la cui dimensione è rappresentata da "un grande teatro naturale". Le prime foto sono ingressi di case coloniche, immersi in un biancore di neve o in un sottile fondo nebbioso. Questo l'avvio, l'introduzione al viaggio, in una ricerca che mette a fuoco l'elemento architettonico isolato, che diviene centro del mondo e allo stesso tempo dilatazione dello spazio entro un non-tempo e un non-luogo. La finzione fotografica ribalta la realtà proprio in questo senso: le chiese, le case coloniche, le ville e i portali assumono una connotazione irreale. Nei brani di prosa, che accompagnano le fotografie, Celati specifica la sua "ossessiva" dimensione aperta sempre e costantemente «verso il limite sul quale l'aperto si fa mondo».

A proseguimento di questo progetto, già collettivo, Celati firma, nel 1992, un più complesso "itinerario-progetto" al centro delle scritture, *Narratori delle riserve* (1992). Così lo scrittore spiega l'uso del termine "riserve": «Riserve vuol dire qualcosa che non viene subito utilizzato e sprecato. Al contrario l'attualità consiste nell'utilizzazione immediata di tutto, nel far scoppiare ogni evento nel baccano così che non resta niente dietro di noi». La riserva diviene così il luogo deputato per la memoria, per proteggere qualcosa che è coperto dal silenzio. Ma la "riserva" è anche al centro del percorso, anzi definisce l'immagine del "paesaggio".

Il libro, più che un'antologia, si presenta come una continuazione dell'idea del viaggio; una costante letteraria, se non la struttura stessa, del nuovo corso, iniziato con *Narratori delle pianure*. In questo caso il viaggio si snoda verso una decifrazione dello spazio attraverso la scrittura. Non a caso, molte delle soste di Celati hanno per oggetto scritture che indagano il territorio emiliano-romagnolo: una linea che sembra materializzare e connettere il lavoro di ricerca, ad un impianto corale ben più vasto. Daniele Benati, Nino Pedretti, Ermanno Cavazzoni, Beppe Sebaste, Mauro Sargiani, Mara Cini,

Vittorio Messori, Marco Belpoliti, Roberto Papetti sono solo alcuni dei punti di riferimento delle tappe di un percorso che dirama le sue destinazioni verso fughe europee, o altri territori italiani come nei racconti di Nico Orengo, di Claudio Piersanti, di Rocco Brindisi, di Maurizio Salabelle, di Alice Ceresa, di Valerio Magrelli. Celati, al proposito, sottolinea: «Cercavo forme di scrittura non forzate da obblighi esterni: non lo scrivere perché c'è l'obbligo di pubblicare un libro, ma quei momenti in cui si riesce a scrivere per sé, per la cosa in sé, senza dover dimostrare niente a nessuno».

Così, il viaggio dello scrittore assume un'importante valenza critica, in quanto pone al centro dell'indagine letteraria, quale costante della peregrinazione, la scrittura, vibrata sui suoi toni più vivi, quasi come una voce particolare in cerca di espressione. Sottolinea ancora lo scrittore: «L'unico elemento ricorrente in tutti i testi è (mi sembra) il fatto che la scrittura può bastare a se stessa, nel senso che non ha bisogno di ricorrere a stimolazioni esterne, ai problemi sociali o d'attualità, a qualche tipo di saputezza o a rivelazioni eccitanti. Questo è un segno di assorbimento nell'esperienza di scrivere, assorbimento nella cosa in sé, quando lo scrivere non ha bisogno di tante finzioni. Gli basta il suo ritmo e le tonalità delle parole, uniche cose essenziali».

Il lavoro di Celati, legato alle prerogative e alle prospettive, dei "narratori delle riserve", sta anche alla base de l'*Almanacco delle prose*, *Il Semplice*, una rivista-libro, della cui redazione fanno parte, tra gli altri, oltre a Celati, Ermanno Cavazzoni, Daniele Benati, Jean Talon, Marianne Schneider. La rivista affonda in quella tradizione padana delle "storie" come metafora del mondo, come racconti a mezzo tra l'oralità, il bisogno di terra e una stralunata ansia di dar luogo a una continua rideterminazione di quel "poema dei lunatici" che è anche il titolo del libro d'esordio di Cavazzoni. Questo progetto cerca l'originalità attraverso una ridefinizione postmoderna delle tradizioni, in un recupero dei riti e delle forme di artigianalità applicate alla scrittura. Se c'è un manifesto o qualcosa che possa spiegare uno sviluppo per il progetto è la sezione "Catalogo delle prose secondo le specie", che riporta ad una letteratura-scaffale delle storie del mondo, raccolte in un viaggio tra affabulazione e verità nel «giardino dei semplici", quelle che possono contenere lo «spirito immaginativo dei coltivatori di prose". Così l'almanacco è pensato come un erbario e le prose vengono catalogate come «specie» e, anzi, «ogni numero dell'almanacco darà esempi di alcune tra le innumerevoli specie, ne aggiungerà all'elenco di nuove da ricercare, cancellerà quelle che si dimostrino non esistenti in natura». Come segno di continuità con i precedenti lavori, nella catalogazione compaiono poi tutti quei modelli di scrittura scelti anche dai narratori delle riserve: descrizioni di città e luoghi notevoli, trascrizioni di narratori orali, arti e mestieri, però spiegati con pignoleria, lamentazioni e brontolamenti, inferni, purgatori e paradisi immaginati.

BELPOLITI, Marco. *Italo*. Sestante, 1995.
Italo e la sua collezione di francobolli ripercorrono gli avvenimenti politici, le partite di calcio, i festival della canzone, la corruzione, il terrorismo nero e di sinistra, fino ad un'ipotesi futura, un 2010, con un'Italia divisa in tanti piccoli stati e dominata da una potente Confederazione del Nord. Italo nasce, emblematicamente, il 3 gennaio 1954, data che corrisponde a quella in cui ha inizio la prima trasmissione televisiva e che può dar conto del livello metaforico su cui si muove l'attraversamento della storia italiana. Il protagonista, infatti, si modella su tutti i conformismi che hanno caratterizzato lo sviluppo della nostra società.

CAVAZZONI, Ermanno. *Il poema dei lunatici*. Feltrinelli, 1996.
Come un antico viaggiatore di terre esotiche e meravigliose, il narratore-protagonista racconta gli usi e i costumi dei popoli della pianura padana attraverso follie, storie surreali, sogni e allucinazioni. Pozzi parlanti, uccelli che sembrano delle madonne, un Alessandro Magno che cavalca bisce e coccodrilli, la vera storia di Giuda Iscariota e altre imprese famose scomparse nel nulla in una narrazione fantastica fra tradizione ariostesca e lampi di assurdità gogoliana. Al romanzo si è ispirato Federico Fellini per la realizzazione di "*La voce della luna*" (1989), con Roberto Benigni.

CELATI, Gianni. *Narratori delle pianure*. Feltrinelli, 1991.
Sulla base di narrazioni orali raccolte nella valle del Po, trenta novelle comiche e tristi, fantastiche e documentarie, che possono essere intese come al-

trettante parabole sulla nostra epoca. Attraverso le vicende di personaggi ora ordinari ora straordinari, si vuole recuperare la facoltà di raccontare e di scambiarsi esperienze, il "sentito dire che circola in un luogo o in un paesaggio".

CELATI, Gianni. *Verso la foce*. Feltrinelli, 1992.
Quattro diari di viaggio, "racconti di osservazione" nati dal lavoro con un gruppo di fotografi impegnati nella descrizione del nuovo paesaggio italiano. Un percorso attraverso la valle padana, dove è difficile non sentirsi stranieri, una campagna in cui si respira un'aria di solitudine urbana: inquinamento, alberi malati, un'edilizia disordinata e approssimativa destinata a inquilini senza patria e pervasa da uno stato di abbandono. L'intensa osservazione di questa desolazione ci può tuttavia rendere meno apatici, "più pazzi o più savi, più allegri o più disperati".

ORENGO, Nico. *Ribes*. Einaudi, 1988.
I conflitti fra tradizione e modernità visti attraverso gli occhi di un anziano parroco di un paesino dell'entroterra ligure, alle prese con un fratello allevatore di colombi e miscredente, paesani infatuati da una trasmissione di pettegolezzi su una radio locale, e soprattutto l'apertura di TV Veronica Two, televisione locale che corrompe lentamente i valori della vita di paese.

PETRIGNANI, Sandra. *Il catalogo dei giocattoli*. Theoria, 1988.
L'infanzia raccontata attraverso un inventario dei giocattoli. La bambola, la corda, la palla e così via: sessantacinque giocattoli disposti in ordine alfabetico. Attraverso uno schema classificatorio, ciascun brano racconta qualcosa su come eravamo, su cosa facevano e desideravano da bambini, illustrando una realtà affettiva che si tende a dimenticare, ma che val la pena di essere ricordata.

PIERSANTI, Claudio. *L'amore degli adulti*. Feltrinelli, 1989.
Raccolta di racconti sul tema dell'identità perduta, nell'Italia degli ultimi anni Ottanta. Ogni storia coglie un momento di crisi esistenziale, di debolez-

za affettiva e ossessione maniacale per affermare la necessità di recuperare rapporti umani più saldi. Piersanti, nell'irrisolto dilemma di un quotidiano in cerca di felicità, si pone in parallelo con lo Ian McEwan di *Bambini nel tempo*, in cui la cognizione dell'esistenza passa attraverso la comprensione del vuoto incolmabile dove è tuttavia possibile trovare dei punti di riferimento.

SALABELLE, Maurizio. *Un assistente inaffidabile*. Bollati Boringhieri, 1992. Una comicità paradossale, mai al di sopra delle righe e sempre vigilata, domina le avventure di un giovanissimo nipote e dei suoi zii, proprietari di una bottega di cappelli che diventa un luogo di ossessioni e crimini. Promosso assistente dallo zio, il giovane si rivelerà ben presto un testimone scomodo e manderà a monte alcuni loschi affari per via della suo candore. Lo scenario deserto accentua la solitudine delle persone, tutte prese a covare i misfatti della propria follia.

SEBASTE, Beppe. *Café Suisse ed altri luoghi di sosta*. Feltrinelli, 1992. Frammenti di viaggio o di permanenze, luoghi di sosta appunto. La scrittura come modo di vivere, come ascolto del proprio tono e del proprio ritmo. New York, Parigi o Milano, parchi, autostrade, la neve, i minimi spostamenti dell'attenzione, i miti rivisitati, come la Big Sur di Kerouac e Miller, "seguendo i piedi che camminano e i sussulti del cuore". Al di sopra di tutto, la luce, nelle sue infinite modulazioni, ed un narrare che sembra dispiegarsi a mille piedi da terra: "C'era freddo e sembrava di stare sulla luna."

4. In classifica: best seller della nuova narrativa

Alessandro Baricco, *Oceano Mare*
  Seta
Stefano Benni, *Terra!*
  Elianto
Aldo Busi, *Vita standard di un venditore provvisorio di collant*
Paola Capriolo, *Un uomo di carattere*
Lara Cardella, *Volevo i pantaloni*
Carmen Covito, *La bruttina stagionata*
Andrea De Carlo, *Tecniche di seduzione*
Daniele Del Giudice, *Staccando l'ombra da terra*
Maria Teresa Di Lascia, *Passaggio in ombra*
Aurelio Grimaldi, *Meri per sempre*
Maurizio Maggiani, *Il coraggio del pettirosso*
Marta Morazzoni, *La ragazza col turbante*
Antonio Tabucchi, *Piccoli equivoci senza importanza*
  Sostiene Pereira
Susanna Tamaro, *Per voce sola*
  Va' dove ti porta il cuore
Sebastiano Vassalli, *La chimera*

Un luogo comune individua la debolezza della narrativa prodotta in questi ultimi due decenni è senz'altro legato al fatto che non abbia saputo creare intorno a sé l'interesse dei lettori. Una delle accuse ricorrenti è quella di porsi in un'ottica elitaria, di scarsa leggibilità e soprattutto di narrare storie di poco interesse. Ad un attento esame dei "casi letterari" degli anni Ottanta e degli anni Novanta, al di là delle valutazioni critiche e delle questioni di merito, il bilancio del rapporto tra nuova narrativa e pubblico dei lettori, invece, è tutt'altro che negativo.

Già a metà degli anni Ottanta per i nuovi scrittori era importante recuperare il plot narrativo: una immersione in storie con tematiche fortemente innovative, che comunque non implicava un abbandono della ricerca letteraria. A far conoscere la nuova narrativa ai lettori è stato senz'altro l'effetto-premio letterario. Già nel 1985 entrano in cinquina al Campiello scrittori come Tabucchi e Celati e quasi quindici anni dopo quei premi importanti (Strega, Campiello, Viareggio) sono vinti da Tabucchi, Maria Teresa Di Lascia e da un outsider come Maurizio Maggiani, la cui scrittura non è certo facile e il cui impatto funambolico con la trama letteraria ha forse coinvolto giurati e lettori.

Così la nuova narrativa trova i suoi best seller e anche i suoi long seller: libri generazionali come *Altri libertini* di Tondelli o *Treno di panna* di Andrea De Carlo, ripubblicati in edizione economica, a quindici anni dalla prima edizione trovano nuovi lettori soprattutto tra i giovani dell'ultima generazione. Alcuni autori come Antonio Tabucchi e Alessandro Baricco meriterebbero un'attenta analisi delle motivazioni per cui si sono imposti e il raffronto tra le loro esperienze narrative potrebbe essere singolare: una miscela di enigmi e di sentimenti forti, imposti attraverso una serie di reti e di rimandi, di citazioni apparenti o reali, assecondano la necessità del lettore di essere in una storia che può sembrare finzione della letteratura che l'ha preceduta. Così se Baricco propone, con fredda precisione, una macchina narrativa di rimandi e di sostegni ai più svariati generi e linguaggi, Tabucchi muta continuamente la propria prospettiva in una dimensione alla Pessoa, dove il centro è l'enigma e ogni libro diventa una diversa avventura. Dice infatti lo scrittore: «A me piace scrivere su tutto perché sono un uomo curioso. Ho scritto su molti temi. Ho cominciato nel 1975 con un libro che in qualche modo era di un certo impegno civile: si chiamava *Piazza d'Italia* e raccontava in maniera buffa, quasi grottesca, attraverso gli occhi dei perdenti, cento anni della storia italiana, dall'impresa garibaldina fino al secondo dopoguerra. Poi ho parlato dei sentimenti, dell'anima, dei turbamenti miei ed altrui, delle persone che ho conosciuto».

Il pubblico ha valutato positivamente anche un tipo di narrativa che vuole essere nella letteratura, scegliendo non la novità, ma la distanza, il passato, quasi una forma di riscrittura o di citazione della tradizione: un ritorno all'ordine, quasi un desiderio di sublime. Soprattutto così si spiegano i consensi intorno all'opera di Paola Capriolo, di Marta Morazzoni o di Roberto Pazzi.

Il successo di altri best seller può essere invece spiegato con motivazioni prevalentemente sociologiche: è il caso di Lara Cardella con *Volevo i pantaloni* e di Enrico Brizzi con *Jack Frusciante è uscito dal gruppo*. Due casi diversi accomunati dalla giovanissima età degli scrittori e da ciò che raccontano di mondi giovanili, ma assai differenti, sia come linguaggio sia per realtà culturale (la Sicilia più chiusa nel caso della Cardella; una Bologna aperta all'underground e alla fantasia dei movimenti in Brizzi). Se il libro della Cardella ben s'inseriva, al momento dell'uscita, nel filone delle storie-verità e della televisione dei casi umani spettacolarizzati, quello di Brizzi anticipava il bisogno di una fascia giovanile di lettori, senza più storie per loro, di riconoscersi in personaggi-specchio come appunto Alex e la sua Aidi. Proprio in questa logica è possibile spiegare il notevole consenso, anche se non ai livelli popolari di Brizzi, avuto da Silvia Ballestra e soprattutto da Giuseppe Culicchia, col suo mix di ansie metropolitane e sguardi comici e un po' spaventati sulla realtà.

Un caso a sé è quello di Stefano Benni che ha trovato riscontro in una forte fascia di lettori giovani. Uno scrittore che si definisce comico, non umorista, né satirico, che cerca di sorprendere e di inquietare attraverso romanzi politici che rileggono in chiave simbolica la realtà. Dice lo stesso Benni per spiegare le ragioni del suo successo: «L'importante è che le immagini siano profonde, anche se semplici. Io credo che i giovani siano attirati dalla mia scrittura perché sentono che in essa c'è una ricerca di verità. Che essa è pronta allo scontro con tutti i poteri per difendere una propria verità. Nelle parole io cerco lo stupore, la meraviglia iniziale del bambino ed anche del giovane rispetto ad un mondo adulto che detta delle regole autoritarie ma non le giustifica in alcun modo se non con il potere. Noi dobbiamo invece aiutare i giovani a liberare la propria fantasia dai corridoi punitivi in cui l'ha costretta la televisione. Dobbiamo restituirgli la libertà d'essere tante cose insieme. Se essi perderanno la loro creatività, avranno perso ogni ricchezza. E noi la democrazia».

Si potrebbe dire che per l'affermarsi di best seller funziona anche il passaggio televisivo e la presenza dello scrittore, non solo come ospite che presenta i suoi libri, ma anche nel ruolo di presentatore o intrattenitore. Veri casi cult, in questo senso, sono quelli di Aldo Busi, spesso in scena tra lustrini e paillettes, o di Alessandro Baricco, affascinante affabulatore di storie in "Pickwick".

Nemmeno stupisce il fatto che ormai, ciclicamente, il romanzo di Susanna Tamaro, *Va' dove ti porta il cuore*, dalla vetta dei suoi milioni di copie vendute, venga passato ai raggi X per farne oggetto di polemiche di varia natura, per deligittimarne, forse, il successo. Certo, sarebbe più interessante, invece, indagarne il fenomeno, non solo secondo coordinate sociologiche e commerciali, ma interpretando la forte valenza emotiva di una storia che riporta nella narrativa italiana una vera e propria fenomenologia dei "valori". È il tema della sentimentalità ad aver colpito al cuore i lettori? O, piuttosto la ripresa di valori come l'amicizia, il colloquio tra generazioni, una certa inquietudine religiosa?

È troppo facile liquidare il romanzo, come ha fatto certa critica, etichettandolo come romanzo rosa, dalle facili soluzioni consolatorie.

Vittorio Spinazzola nel saggio che dedica all'analisi nel libro, in *Tirature '95*, invita a non fermarsi all'apparenza ma a porsi «dal punto di vista non dei lettori letterati, ai quali il libro può aver detto poco, ma di quelli meno raffinati, che invece ci si sono riconosciuti appassionatamente». Secondo Spinazzola questo è un esercizio di umiltà critica che non tutti sono disposti a compiere: da qui tutti i tentativi di esorcizzare, attraverso polemiche non sostanziali o parodie di cattivo gusto (*Va' dove ti porta il clito* di Daniele Luttazzi), ciò che invece i lettori hanno premiato. I due punti sostanziali, al di là della questione se il romanzo sia o no un capolavoro o un libro riuscito a tutti gli effetti, li segnala ancora Spinazzola: «In anni improntati da inquietudini e smarrimenti diffusi, specie fra i giovani, l'ultima Tamaro si fa portatrice di un suo insegnamento di verità positiva, fondato su un nucleo di certezze assiomatiche; e affida questo messaggio impegnativo alla voce confidenziale, un po' querula d'una qualsiasi vecchietta, forte solo della sua esperienza di vita». Già questo non è poco, per certo conformismo culturale che usciva frastornato dal glamour degli anni Ottanta. Un altro punto sostanziale è quello della coscienza morale e Spinazzola rivela l'anima del romanzo proprio nel coincidere «dell'assolutismo degli imperativi etici con il relativismo delle pulsioni individuali, la fiducia in un sistema di valori universali con una sorta di anarchismo esistenziale in cui ognuno fa da sé il proprio modello di comportamento».

BARICCO, Alessandro. *Oceano mare*. Rizzoli, 1993.
Alla locanda Almayer, in un posto remoto in riva all'oceano, si intrecciano le storie di numerosi personaggi, il cui destino rimarrà segnato dal loro incontro con il mare: un pittore che decide di dipingere il mare utilizzandone l'acqua, un'adolescente "posseduta da una sensibilità d'animo incontrollabile", uno studioso che compila un'enciclopedia dei limiti e scrive lettere d'amore a una donna che deve ancora incontrare, e altri ancora. In mezzo a queste figure sospese tra la vita e la morte, qualcuno commette un atto assurdo e qualcun altro porterà a lungo dentro di sé una promessa.

BARICCO, Alessandro. *Seta*. Rizzoli, 1996.
Hervé Joncour vive con la moglie Helene in una regione della Francia meridionale e si guadagna da vivere rivendendo bachi da seta. Le epidemie che affliggono gli allevamenti europei di bachi, durante la seconda metà del XIX secolo, raggiungono anche l'Africa, meta dei suoi viaggi. Per comprare i bachi, Hervé parte quindi per il Giappone, dove conosce Hara Kei, un uomo potente, e la sua amante, una donna dai tratti europei. Pochi mesi dopo il suo ultimo ritorno a casa, Hervé riceverà una misteriosa lettera, scritta con ideogrammi giapponesi.

BENNI, Stefano. *Terra!* Feltrinelli, 1991.
Anno 2156: da una Parigi sotterranea in piena glaciazione, conseguenza di varie guerre nucleari, parte una corsa spaziale alla ricerca di un pianeta più vivibile. In lizza, una scassatissima astronave sinoeuropea, la miniastronave dell'Impero militare samurai e la reggia volante di un tiranno russo-americano. La chiave del viaggio nello spazio è però sulla terra, legata a un mistero dell'antica civiltà Inca su cui stanno lavorando un vecchio saggio cinese e un bambino, genio dell'informatica. Storie parallele e profezie, streghe astronaute, indovini, pirati, rivolte rock e computer con l'esaurimento nervoso si intrecciano in un romanzo dove anche gli eroi della vecchia generazione invadono lo scenario della nuova avventura tecnologica.

BENNI, Stefano. *Elianto*. Feltrinelli, 1996.
Il futuro di Tristalia è affidato alla grande sfida tra governo e contee. Tutte le speranze sono riposte nel giovane Elianto, affetto da Morbo Dolce e ricoverato a Villa Bacilla. In una notte di luna piena, con l'apparire di una mappa misteriosa, tre equipaggi si muovono contemporaneamente per gli otto mondi alterei, con il comune obiettivo di liberare le contee dal dominio del Grande Chiodo. Romanzo fantastico e avventuroso che può essere letto anche come allegoria della più recente situazione politica italiana.

BUSI, Aldo. *Vita standard di un venditore provvisorio di collant*. Mondadori, 1991.
Viaggio nella Mitteleuropa contemporanea di Angelo, ilare omosessuale, e di Celestino Lometto, volgare e spregiudicato fabbricante di collant, despota di una famiglia che incarna tutti i valori della provincia lombarda. Nella storia entrano ed escono personaggi d'ogni nazionalità e d'ogni inclinazione sessuale, dando vita ad un'avventura di sapore cervantino. Tragicomica parabola sul potere e denuncia dell'immoralità e della degradazione, condotta con una scrittura che passa disinvoltamente dal grottesco al lirico, al surreale.

CAPRIOLO, Paola. *Un uomo di carattere*. Bompiani, 1996.
Daniele Bausa, pittore dilettante, contempla affascinato il giardino di una villa nobiliare semiabbandonata. Il nuovo proprietario, l'ingegnere edile Erasmo Stiler, decide di ristrutturare la villa e di trasformare il giardino — un "intrico disordinato di vegetazione" — in un miracolo d'ordine, un capolavoro del limite e della misura. Tra i due si stabilisce ben presto un'amicizia. Ma nella vita di Stiler, fa la sua comparsa una giovane donna che non sembra condividere i suoi ideali estetici.

CARDELLA, Lara. *Volevo i pantaloni*. Mondadori, 1994.
Una ragazza siciliana dei giorni nostri racconta in prima persona le difficili tappe dell'adolescenza vissuta in un paese di provincia, dove non le è consentito neppure immaginare di allontanarsi dal ruolo di figlia-moglie al qua-

le è destinata. L'incontro con una coetanea, figlia di un ingegnere del nord trasferitosi in paese, alla quale sono concesse le normali libertà, alimenta uno spirito di ribellione che si nutre di sogni, desideri e riti adolescenziali. La storia prende una piega violenta e brutale, per arrestarsi ai confini del dramma.

COVITO, Carmen. *La bruttina stagionata*. Bompiani, 1995.
Le avventure erotico-sentimentali di una bruttina non più giovane. Romanzo di crescita di una donna matura che scopre come il suo fisico poco attraente le permette molte libertà; prima fra tutte di vivere e godere il sesso separatamente dall'amore. Il riscatto da una vita che avrebbe potuto essere grigia ma che invece passa attraverso l'azzardo sessuale, la capacità di suscitare desiderio, il gusto di sedurre uomini giovani e belli, che però valgono meno di lei, in modo da potersi difendere con ciò che ha in più rispetto a loro: l'intelligenza. Accontentandosi di essere "bruttina stagionata", la protagonista si diverte molto, approfitta di ogni situazione, guadagna la serena consapevolezza della quota di solitudine che l'accompagna.

DE CARLO, Andrea. *Tecniche di seduzione*. Bompiani, 1993.
A Roberto Bata, giovane e insoddisfatto redattore di un settimanale milanese, si presenta l'occasione della vita: conoscere Marco Polidori, scrittore affermato anche se in piena crisi di creatività. Tra i due si instaura un complicato e pericoloso gioco di seduzione che ben presto coinvolge anche la misteriosa Maria, attrice di teatro. Polidori persuade Roberto ad abbandonare le sicurezze della sua esistenza monotona. L'avventura si rivela affascinante, ma il prezzo da pagare sarà molto alto.

DEL GIUDICE, Daniele. *Staccando l'ombra da terra*. Einaudi, 1994.
Raccolta di racconti collegati dal tema del volo in aeroplano. Attraverso figure viventi di piloti in volo, fantasmi di volatori scomparsi, ricordi di missioni militari, ricostruzioni di disastri, il volo diventa metafora della vita e degli strumenti necessari per portarla a termine nonostante incertezze e ambiguità. Ma il volo, come la vita, raccoglie in sé una quota di non detto e

non dicibile: spetta all'individuo conoscere l'importanza dell'errore, sperimentare e riconoscere sensazioni illusorie, lottare tra istinto e manovre, vertigine ed equilibrio.

DI LASCIA, Maria Teresa. *Passaggio in ombra*. Feltrinelli, 1995.
Una donna meridionale, rimasta sola, ripercorre il proprio passato e quello della sua famiglia. Ricorda gli anni della sua infanzia, il tenero rapporto con la madre, quello con il padre — conosciuto quando lei era già una bambina — e infine l'amore per un cugino, che lei non sapeva fosse tale, a cui si oppongono i suoi parenti.

GRIMALDI, Aurelio. *Meri per sempre*. La Luna, 1987.
Le testimonianze dei giovani detenuti raccolte da un insegnate del carcere minorile di Malspina, a Palermo, ed elaborate in forma narrativa: l'amore, l'approccio al sesso, il degrado di famiglie segnate dalla miseria, la detenzione vissuta come ingiustizia, l'odio per gli "sbirri", il disprezzo per le prostitute e il bisogno di cercarle, l'immagine della donna.

MAGGIANI, Maurizio. *Il coraggio del pettirosso*. Feltrinelli, 1995.
"Noi libertari si è pettirossi" sembra suggerire Maggiani in questo romanzo, che racconta il viaggio intrapreso dal giovane Saverio nel deserto di Siwa, sulle orme del padre, esule in Egitto. Da qui l'epopea di un fantastico paese cinquecentesco, l'idillio tra il soldato di ventura Pascal e la bella Sua e l'amore di Saverio per Fatiha, indomita guerrigliera palestinese.

MORAZZONI, Marta. *La ragazza col turbante*. Tea, 1989.
I racconti hanno come filo conduttore l'essere legati ad un tempo storico che fa da sfondo alle vicende: la Spagna di Carlo V, la Vienna di Lorenzo da Ponte, l'Olanda secentesca. Molti temi si rincorrono nelle varie vicende: il viaggio, la lontananza, la separazione, la malattia e la morte, intuiti come ricerca di una profondità dell'essere interiore.

TABUCCHI, Antonio. *Piccoli equivoci senza importanza*. Feltrinelli, 1991.
Raccolta di racconti che ruotano attorno a malintesi, incertezze, comprensioni tardive, ricordi ingannevoli, errori sciocchi e irrimediabili. Con uno sguardo affettuoso anche se non consolatorio, si mette a nudo l'incertezza dell'umano vivere, le ambiguità dei comportamenti, gli equivoci che contraddistinguono la nostra esistenza. Lo scenario si sposta, di volta in volta, dalla Costa azzurra all'Italia, all'India.

TABUCCHI, Antonio. *Sostiene Pereira*. Feltrinelli, 1996.
Pereira è un anziano giornalista cui è stata affidata la pagina culturale del "Lisboa", un giornale della capitale lusitana. L'incontro con Monteiro Rossi e la sua fidanzata — due improbabili collaboratori per la redazione di elogi funebri di scrittori scomparsi — porta ad uno sconvolgimento nella vita di Pereira. Sullo sfondo della dittatura di Salazar, della guerra civile spagnola e del fascismo italiano, avviene la graduale presa di coscienza del protagonista: la scoperta di una nuova identità nella scelta di opporsi alla dittatura. Il romanzo ha la forma di una "testimonianza", forse di una deposizione.

TAMARO, Susanna. *Per voce sola*. Baldini & Castoldi, 1996.
Cinque racconti sul tema della sofferenza e della violenza: storie di violenza all'interno della famiglia, di infanzie violate, di bambini solitari e infelici, di ingiustizie subite da figure innocenti, raccontate ora sotto forma di diario, ora come confessione, oppure rievocate in prima persona e trasmesse come testimonianza, come memoria.

TAMARO, Susanna. *Va' dove ti porta il cuore*. Baldini & Castoldi, 1994.
Un'anziana donna sola, spinta dal timore che non le resti più molto tempo da vivere, decide di scrivere una sorta di lettera-testamento — sotto forma di diario — alla giovane nipote partita da pochi mesi per l'America. Di lettera in lettera, rievoca i momenti cruciali della propria vita: l'infanzia, il triste matrimonio con un uomo noioso e distaccato, il rapporto conflittuale con la

figlia, nata dalla relazione con l'unico uomo da lei veramente amato, e la sua tragica scomparsa.

VASSALLI, Sebastiano. *La chimera*. Einaudi, 1992.
Nella bassa novarese, a cavallo tra Cinquecento e Seicento, si svolge la triste storia di Antonia, giovane e bella fanciulla adottata da una coppia di contadini di Zardino. Denunciata all'Inquisizione, Antonia, la cui bellezza è considerata di natura malvagia ed eretica, sarà processata e condannata al rogo come strega.

5. Rock, pulp, trash: etichette per gli anni Novanta

Niccolò Ammaniti, *Fango*
Diana Boria- Federica Fermani, *Dumbar, il pesce volante*
Enrico Brizzi, *Jack Frusciante è uscito dal gruppo*
Giuseppe Caliceti, *Fonderia Italghisa*
Rossana Campo, *Mai sentita così bene*
Gaetano Cappelli, *Mestieri sentimentali*
Carlo D'Amicis, *Piccolo Venerdì*
Fabio Lubrano, *L'amore è una brutta cosa con un bel nome*
Francesca Mazzucato, *Hot line*
Nicola X, *Infatti purtroppo*
Aldo Nove, *Woobinda e altre storie senza lieto fine.*
Isabella Santacroce, *Fluo. Storie di giovani a Riccione.*
Tiziano Scarpa, *Occhi sulla graticola*
Narciso Schwarz, *Gli amici di Mimaszk*
Chiara Zocchi, *Olga*

L'attenzione della critica, soprattutto negli ultimi anni, si è rivolta ai nuovi scrittori, cercando di individuare, di volta in volta, etichette critiche, più di natura sociologica che riferite ad una evoluzione di tipo letterario. È diventata una prassi diffusa l'approccio all'opera dall'esterno, con uno sguardo ambiguo, a volte, troppo distante. Si prenda, ad esempio, l'uso alquanto distorto che viene fatto dei termini "pulp", "trash" e "rock", intesi non più come caratterizzazioni del testo, ma come categorie estetiche, possibilità di mutazioni della lingua e della letteratura. Più che un'analisi linguistica delle nuove scritture degli autori dell'ultima generazione, da Enrico Brizzi a Niccolò Ammaniti, a questa critica interessa il grado di trasgressione linguistica e tematica. I trasgressivi fino a qualche anno fa erano pochissimi e ben riconoscibili anche perché la trasgressione non può essere la norma, altrimenti finisce per smorzare il suo effetto. In molti casi si ha così l'impressione di assistere ad una pseudo-trasgressione: i venticinquenni all'assalto della narrativa italiana possono avere guizzi d'originalità, ma spesso si fermano appunto al "guizzo" senza avere poi la tenuta sulla lunga durata, con risultati minimi quando sono eccessivamente vincolati a storie, scenari e linguaggi "trash".

È così brutta e da cassonetto, così come si delinea in questi romanzi, la realtà italiana? È necessaria l'insistenza su storie popolate da erotomani delle hot line, da disegnatori di particolari anatomici nei fumetti, o da set porno installati nelle ville di pseudo-parlamentari?

C'è un problema di fondo: se la letteratura è specchio di una realtà, probabilmente quella che emerge dai nuovi romanzi italiani, è una complessiva degenerazione sociale e individuale, dove la pseudotrasgressione diventa una nuova formula della retorica o può rappresentare un'immagine falsata della realtà, proprio in funzione di una ritrovata enfasi nel gusto di porre in primo piano il "trash-spazzatura" come chiave di lettura.

Si ha, a volte, l'impressione che questa nuova letteratura "sporca" enfatizzi la realtà in funzione di due assenze: la mancanza di giudizio e l'orrore verso le emozioni. Sono forse anche due elementi che si possono ritrovare nella generazione post-sessantotto che ha assorbito una lezione postmoderna da rivista illustrata, ha avuto come elementi di semiologia la tv commerciale e le strutture ripetive e grigie del serial americano. Così l'unica chiave per leggere la realtà diventa il suo allontanarsi: scegliere il "trash" è forse la conseguenza di una paura a lasciarsi emozionare dalla realtà, perché l'emozione (sia esso lo stupore, l'orrore, la paura, il dolore, la spinta contemplativa, quindi positiva o problematica fin che si vuole) costringe ad un giudizio, ad un movimento spesso rimangono solo frammenti di paesaggi degradati. Troviamo Carlo D'Amicis con il romanzo *Piccolo Venerdì* (1995), in cui un leghista affitta la propria villa come set di film porno e il figlio si vede circondato e ammaliato dalle pornostar; l'intellettualismo di Tiziano Scarpa, che si mostra il più erudito, con *Occhi sulla graticola* (1996), dove la protagonista è una disegnatrice erotica di manga giapponesi e l'ironia è talvolta così algida da non essere percepita; le imbarazzanti cronache al telefono erotico, in *Hot line* (1996) di Francesca Mazzuccato; l'estremizzazione delle volgarità del linguaggio giovanile e le ingenuità del "popolo della notte", vissuto come nuovo realismo non più sciovinista ma "da sballo" in *Fonderia Italghisa* (1996) di Giuseppe Caliceti.

Solo Andrea Demarchi, ma siamo già nell'ambito di un rock morbido alla

Morrissey, propone, nelle prime intense cinquanta pagine di *Sandrino e il canto celestiale di Robert Plant* (1996), un breviario sull'amicizia "on the road", tra solidarietà individuali e sperimentazioni teatrali. Quando l'emozione ritorna a farsi carico della parola, la narrativa dimostra di saper ancora funzionare. Per questa scrittura si potrebbe attribuire l'etichetta di "rock sentimentale", meno impastato linguisticamente, come avviene ad esempio in Brizzi o in Ballestra. Sul bisogno di amicizia, sul riconoscimento di sé, al di là della propria maschera, con un linguaggio divertito e la svagatezza di una giovinezza intuita come prova del mondo circostante, è da segnalare anche *Gli amici di Mimaszk* di Narciso Schwarz. C'è sentimentalità e soprattutto bisogno di guardarsi, ma siamo lontani da un background giovanile vicino al rock, anche se l'anticonvenzionalità e la leggerezza dell'intreccio delle strutture narrative (lettere, dialoghi, frammenti di telefonate, pagine di diario), rende molto interessante il libro, togliendolo da un filone strettamente generazionale. Ci troviamo di fronte a un ritratto di giovane, un po' destrutturato, tra malinconia e sortilegi quotidiani, dove le ingenuità di una scrittura giovanissima si stemperano nel contesto autoironico di fondo.

Un rischio per queste nuove scritture può essere quello di un'estenuazione della ricerca linguistica come avviene nei libri di Silvia Ballestra, in cui però il parlato, diventa una chiave stilistica ironica e indicativa di uno scenario giovanile. Ancor più ironica è la scrittura di Enrico Brizzi, che cerca di modulare i fermenti delle nuove tendenze artistiche, acquisendo ed elaborando un parlato che diventa necessità linguistica, funzionale anche al tono della narrazione.

A volte invece si sconfina nel manierismo. Proprio per questo la narrativa non restituisce più una lingua che pulsa dentro le storie, ma segue una serie di modelli ideali, ripresi o dalla particolare realtà che lo scrittore vuol descrivere o dalla convenzione di un tracciato romanzesco ormai acquisito come tradizione stilistica, dopo i molti modelli novecenteschi.

Accanto ad un'interpretazione in difetto — manierismo, trash, fuga dall'emozione — non manca chi ritrova nella narrativa anni '90 invece una ispirazione iperrealista (con una eco della lezione dell'iperrealismo pittorico americano, del cyberpunk dickiano e del minimalismo di Bret Easton Ellis). Nell'introduzione ad un inserto speciale dedicato dalla rivista *Smemoranda/ Dire fare baciare*, alla narrativa "giovane", Felice Cappa scrive: «La scrittura non è sacra, buona, autentica: serve per reinventare la realtà divorata da un immaginario violento e ossessivo. Una realtà riflessa in mille schermi, ritmata da troppi suoni, difficile da cogliere, impossibile da riprodurre. E allora meglio scattare istantanee distorte, usando grandangoli spinti, meglio giocare con l'eco delle parole, con i riverberi del rap propagati via etere. O con i tag che sporcano i muri. Meglio sovrapporre il dettaglio alla panoramica, zoomare velocissimi shakerando il linguaggio degli spot e del minimalismo, quello facile della tecno e quella furbo dei neoromantici britpop. (...) Il corpo si scopre, si denuda, mostra le sue pulsioni e diventa medium, specchio di tempeste ormonali e di sentimenti spinti all'eccesso. Ed è grazie a questi nuovissimi iperrealisti, a volte crudi, a volte ingenui, che nelle pagine ricominciano a scorrere sangue e adrenalina, succhi gastrici e líquidi seminali».

Si è poi molto parlato di una nuova linea trasversale, quella "pulp": ovvero della filiazione diretta col cinema di Quentin Tarantino, al punto di essere al centro di un convegno, alla Scuola Holden di Torino sulle tecniche di narrazione, intitolato "Dopo Pulp Fiction. Nuove frontiere della narrazione". Ecco le motivazioni del primo raduno "pulp" nelle parole di Baricco: «Quello di un film che è modello non solo per il cinema, ma per qualunque tipo di narrazione. Raccontare alla *Pulp Fiction* è diventata una categoria con cui è utile lavorare quando si dibatte sulle nuove frontiere della narrazione. In altre parole, *Pulp Fiction* con le sue anomalie, le sue irregolarità, le sue assurdità, le sue esasperazioni, ha assunto in un tempo sorprendentemente breve il profilo di un preciso modello, possibile indicatore di un nuovo modo di raccontare, congeniale tanto al pubblico, quanto all'ultima generazione di autori».

I narratori realmente "pulp" sono due: Aldo Nove, autore di *Woobinda e altre storie senza lieto fine* (1996), e Niccolò Ammaniti, autore di *Fango* (1996). Nelle loro storie l'assenza della realtà diventa orrore, anche perché, soprattutto in Aldo Nove, ogni limite, anche morale, è superato. La degenerazione di un tessuto sociale non è un gioco, ma adombra dietro di sé una tragedia, quella che i personaggi, pubblicitariamente o televisivamente pensanti, sembrano nascondere nell'anima rubata dallo schermo televisivo. È la stessa realtà raccontata da Ammaniti, seppure non in modo così lucidamente evidente. I linguaggi sono estremamente liberi, ma non gergali: la realtà tragicomica e delirante esprime l'impossibilità di abbandonare una condizione da "schermo televisivo". Non si vive più davanti alla televisione, ma la realtà ha assunto la dimensione stessa dello schermo. In queste storie spesso interrotte da immagini frammentate è assente l'esperienza della "naturalità". Non c'è cielo, non c'è terra in questi paesaggi o, se vengono assunti, lo sono secondo il modello della ripresa cinematografica. Questa cancellazione avviene perché il corpo non trova più la reale consistenza, ma diventa parte, nella sua costruzione artificiale e definita secondo i canoni pubblicitari, di un nonluogo imprecisato e chiuso: il corpo rimane imprigionato tra pareti, dove solo lo schermo, nella sua freddezza statica, origina gli spazi e, contemporaneamente, li cancella. Non c'è più dimensione morale, ma solo impulso ad agire, senza condizioni, senza convinzioni.

AMMANITI, Niccolò. *Fango*. Mondadori, 1996.
Una raccolta di racconti in gran parte ambientati a Roma e dintorni. "Roba d'acciaio e di filo spinato", come li definisce l'autore, ai confini dello splatter. Dalle scene di vita intrecciate con esplosione finale in "L'ultimo capodanno dell'umanità" agli stupri del dopo discoteca in "Rispetto". Storie metropolitane, gelide e palpitanti, spesso efferate. Ammaniti mette in scena il funesto ma scintillante spettacolo della società mediatica in preda alla follia.

BORIA, Diana - FERMANI, Federica. *Dumbar il pesce volante*. Mondadori, 1995.
Tre storie per raccontare la generazione dei padri e quella dei figli. Dall'Italia del boom economico all'Italietta contemporanea, in esitante uscita dagli anni '80, per proiettarsi in un presente "dance" e narcisista. Gli investimenti libidici di Corsaro Naso da un lato e la degradazione in video con performance erotico-acrobatiche dei giovani frequentatori di bodycenters dall'altro. L'Italia dal "Canzoniere" di Riva al "Karaoke" di Fiorello.

BRIZZI, Enrico. *Jack Frusciante è uscito dal gruppo*. Mondadori, 1996.
Un romanzo corale sul passaggio dall'adolescenza all'età adulta, tra crisi d'identità e ansie di indipendenza. In un linguaggio tra il rap e il rock, Brizzi

racconta la storia d'amore di Alex, diciassettenne che ama i Sex Pistols e i Red Hot Chili Peppers, e Aidi, sua compagna di liceo. Sullo sfondo, Bologna, vista attraverso le lunghe pedalate di Alex — "un Girardengo più basso e più rock" — e il mondo inquieto e sorprendente dei giovani nati nella seconda metà degli anni '70.

CALICETI, Giuseppe. *Fonderia Italghisa*. Marsilio, 1996.
Un gruppo di ragazzi di Reggio Emilia sfida l'industria del divertimento notturno aprendo una discoteca dove non si paga il biglietto, associando un'acerba ma determinata volontà imprenditorale ad una prospettiva generazionale che mette al centro di tutto il sesso e la musica. Il successo arriva subito, e con questo le ostilità di cittadini, istituzioni e locali concorrenti, che finiranno per avere la meglio. Nell'intrecciarsi di vicende personali e storia collettiva, tra incertezze generazionali e un sentimento di ribellione verso mode e ideologie, espresso con un gergo crudo e pittoresco, i quattro protagonisti riusciranno infine ad aprire un'altra discoteca, più grande e più bella della precedente, senza perdere in freschezza e vitalità.

CAMPO, Rossana. *Mai sentita così bene*. Feltrinelli, 1996.
Parigi, una sera di fine estate. Una cena tra amiche per festeggiare Lucia, la più timida e imbranata del gruppo, scomparsa per mesi senza dare notizie di sé. Una sarabanda di parole, confessioni, racconti piccanti, ammiccamenti, risate, ricordi, tradimenti: non c'è morale in questo romanzo-conversazione, nello scanzonato "parlarsi addosso" di queste italiane all'estero, ma solo il vivere scantonando le regole e scommettendo sul desiderio e sul piacere.

CAPPELLI, Gaetano. *Mestieri sentimentali*. Frassinelli, 1991.
In un grande affresco iperrealista dal tono dolce-amaro e sottilmente ironico, Cappelli racconta la provincia del sud, popolata da vitelloni, dj, donne in carriera, artisti, gay, giovani rampanti. Insegue i suoi personaggi, di racconto in racconto, attraverso feste, vernissages, locali notturni, mettendo in scena le loro storie fatte di aspirazioni frustrate e piccoli equivoci del cuore.

COTTI, Andrea, *Tre*. Bollati Boringhieri, 1996.
Cosa succede quando tre amici, appena ventenni, decidono di lasciarsi alle
spalle le ordinarie infelicità del quotidiano per fare un viaggio a Parigi? Può
essere che, approdando in un allegro albergo pieno di stravaganti personaggi, scoprano di amarsi. Nelle lunghe passeggiate fuori dai consueti itinerari
turistici, i tre assaporano una Parigi minore, fatta di piccole cose e di chiac-
chiere nei bistrot. In un crescendo rohmeriano alimentato da piccoli
spostamenti del cuore, scoprono di essere un unico corpo, una vera famiglia.
Proveranno a vivere insieme.

D'AMICIS, Carlo. *Piccolo venerdì*. Transeuropa, 1995.
Ritratto surreale di un pezzo dell'Italia. Il protagonista-narratore, vive con
la famiglia — un padre leghista, una madre adagiata nel peggior contesto
piccolo borghese e un fratellastro negro, enigmatico e infantile — in una
villa romana, affittata come set per film porno. Dai suoi incubi e da sogni-
spazzatura emergono "eroine" che girano come "sirene" da cartoon.

LUBRANO, Fabio. *L'amore è una brutta cosa con un bel nome*. Stampa Alternativa, 1995.
Sono tanti i posti dove cercare la donna della propria vita: in discoteca, a
scuola, in chiesa. Il protagonista di questo micro-romanzo la cerca in una
biblioteca pubblica, un mattino in cui "il cielo è azzurro bidello". Tra tipe
minigonnate, occhi verdi e rosse da schianto, in una girandola di gags e
battute esilaranti, cadono in un sol colpo secoli di polverosi pregiudizi sulla
biblioteca.

MAZZUCATO, Francesca. *Hot line. Storia di un'ossessione*. Einaudi, 1996.
Cronaca fredda, realistica ma anche stralunata di una telefonista erotica,
impegnata a soddisfare via cavo le più stravaganti richieste dei clienti.
L'erotismo si accompagna alla solitudine in una sequenza ininterrotta di ap-
puntamenti notturni con una voce. Lo scenario, tra Bologna e Modena, è una
squallida provincia fatta di gelide stazioni, centri commerciali, self-service,

percorsa da pendolari assonnati e abitanti della notte. Ma l'amore che lega Lorena a Gabriele, una delle voci notturne, è umiliazione, distanza , freddezza.

NICOLA X. *Infatti purtroppo.* Theoria, 1995.
Un giovane, perplesso liceale romano prende la parola per dire la sua sulla scuola italiana: professori bizzarri, programmi inadeguati, occupazioni, il bar affollato, ma anche il mito rivisitato del Che, il rock, le interrogazioni ed un ironico ritratto del genitore "progressista". Un cocktail di miti, tic, luoghi comuni giovanili raccontati con disarmante dolcezza.

NOVE, Aldo. *Woobinda e altre storie senza lieto fine.* Castelvecchi, 1996.
Una teoria di personaggi racconta in prima persona altrettanti segmenti di storie surreali, venate di ironia, quasi tutte ispirate a trasmissioni o fatti visti in televisione. Ne emerge un'umanità stralunata, priva di una qualsiasi dimensione sentimentale e totalmente inconsapevole, specchio di una società cresciuta negli eccessi del consumismo e ormai priva di strumenti critici, prigioniera di una realtà declinata solo al presente.

SANTACROCE, Isabella. *Fluo. Storie di giovani a Riccione.* Castelvecchi, 1995.
La protagonista di queste storie fluorescenti è un'adolescente che racconta in prima persona un'estate a Riccione: le discoteche, un appartamento in comune con amici e amiche, viale Ceccarini e la spiaggia, vissuta soprattutto di notte. Le luci, i colori, i ritmi della generazione anni '90: giovani trasgressivi, sognatori e superconsumisti. La passione travolgente per la vita: "Voglio che il mio cuore batta sempre e voglio la vita addosso... e l'amore sempre tra le mani come un gelato al limone mangiato in riva al mare un pomeriggio di maggio...".

SCARPA, Tiziano. *Occhi sulla graticola.* Einaudi, 1996.
La timida Carolina, mentre frequenta l'Accademia di Belle Arti a Venezia, campa disegnando fumetti giapponesi per una rivista di manga. Un giorno

finisce nel Canal Grande. Cade o si butta? Alfredo, che lavora a una tesi di laurea su Dostoevskij, la salva e da quel momento va cercando ovunque sue notizie per chiarire il rapporto che la lega a Fabrizio Rumegotto, studente di economia che paga l'affitto di casa con un bizzarro scambio in natura. Rovistando nella vita di Carolina e nei suoi diari, Alfredo finisce per scrivere un trattatello grottesco e trash sulla sua vita.

SCHWARZ, Narciso. *Gli amici di Mimaszk.* Camunia, 1996.
Un diario ironico e divertente mette a nudo il bisogno di confidenza, di amicizia e di dialogo di due ragazzi, Abel e Mimaszk: ne risulta un attraversamento delle "non identità del mondo giovannile", attraverso un piglio decisamente inusuale dove l'intercalare delle voci, quasi un gioco svagato, regge grazie all'autoironia.

ZOCCHI, Chiara. *Olga.* Garzanti, 1996.
Olga è la bambina narratrice e protagonista di questo racconto-diario. La vicenda, storia sulla realtà e sul degrado dei rapporti di questi anni, viene narrata e trattata attraverso gli occhi e con il candore innocente di una ragazzina. La vita che Olga registra minuziosamente, giorno per giorno, è soprattutto quella familiare: un padre assente perché in prigione, un fratello che si droga e una madre che si barcamena come può, tra mille difficoltà quotidiane. Olga ci racconta la sua fragilità, la sua sensibilità, gli stupori e lo spaesamento che accompagnano l'uscita dall'infanzia.

6. REALISMI DELL'INTERIORE

Sergio Atzeni, *Passavamo sulla terra leggeri*
Filippo Betto, *Certi giorni sono migliori di altri giorni*
Guido Conti, *Sotto la terra il cielo*
Erri De Luca, *In alto a sinistra*
Paolo Di Stefano, *Baci da non ripetere*
Luca Doninelli, *Le decorose memorie*
Salvatore Mannuzzu, *Un morso di formica*
Giulio Mozzi, *La felicità terrena*
Vincenzo Pardini, *Rasoio di guerra*
Aurelio Picca, *I mulatti*
  L'esame di maturità
Giorgio Pressburger, *I due gemelli*
Gabriele Romagnoli, *In tempo per il cielo*
Gilberto Severini, *Congedo ordinario*

Una lettura della narrativa degli anni Ottanta e degli anni Novanta solo per etichette, prevalentemente sociologiche o legate a pseudo-tendenze estetiche, determina una sorta di invisibilità dei percorsi più autentici di scrittori che, dentro la tradizione, operano un radicale innovamento delle condizioni del narrare, giungendo ad esiti spesso alti, ma non sempre riconosciuti. Sono percorsi diversi nei quali si nota, anche a livello di scrittura, uno stacco piuttosto netto rispetto ai narratori dell'ultimissima generazione.

La miglior letteratura di oggi punta su quello che si potrebbe definire un "realismo dell'interiorità". Per questi scrittori è necessario ritornare dentro il corpo, per sentirlo non più una cosa morta, estranea, ma dimensione di una condizione interiore.

Nella ricerca di alcuni scrittori, questo "nuovo realismo" ha avuto bisogno di confrontarsi essenzialmente con una diversa idea di terra e di cielo. Proprio nella cognizione di queste due entità emerge la ferma dimensione dello scavo che immagini e parole intendono proporre. È una condizione opposta a quella che viene definita come "pulp". Nei racconti di Aldo Nove, ad esempio, si assiste ad una cancellazione dell'idea di cielo e di terra. Il corpo si innesta e si connatura artificialmente come parte di un luogo che non ha contorni, imprecisato e chiuso. Siamo di fronte ad una metafora della fine del corpo, nel momento in cui diventa "corpo televisivo". È una cancellazione alla quale fa da contraltare una diversa e più profonda nostalgia, quella di riappropriarsi del cielo. Simbolico è, ad esempio, un paesaggio, l'autostrada, che rappresenta una possibilità di fuga verso il cielo, l'unica prospettiva che libera dalla linea metropolitana. Era così nell'ultimo racconto di *Altri libertini* (1980) di Tondelli e lo è in *In tempo per il cielo* (1995) di Gabriele Romagnoli, dove l'autostrada è un luogo fisico, ma il cielo diventa spazio metaforico di una cerimonia di assunzione del corpo.

Cielo e terra sembrano riunirsi e concellare la linea dell'orizzonte nel momento in cui diventano "metafore" di una diversa forma: quella del corpo che si accinge alla morte. Forse così si spiega, nella speranza, l'atto di coscienza che molti romanzi hanno imposto nel fare i conti con la morte, intesa come "periferia dell'abbandono". Il cielo come destino è l'altra forma del corpo che scompare. Non si potrebbe spiegare altrimenti il "viaggio cerimonioso" che il protagonista di *In tempo per il cielo* di Gabriele Romagnoli compie per accompagnare Nico, verso il mare, e assistere, lì, al suo alzarsi in volo, sopra una mongolfiera. Il viaggio non è finito: solo apparentemente si conclude. È un'ascesi che diventa forma ossessiva in tutta l'opera di Aurelio Picca: il cielo è visto come forma battesimale per sfuggire alla violenza del corpo, per ritrovarsi arresi in un'altra dimensione, per trovare un equilibrio tra fisicità e metafisica. Solo il cielo, in Picca, consola l'orrore della morte, quando tutto il contrasto del corpo-forza e natura della terra, svapora nello sguardo ad un cielo che diventa una forma di purificazione, perché in quel cielo, «tutto si riempie, combacia, fino a chiamarsi CIELO».

Questo tema è presente anche nel primo romanzo di Guido Conti, *Sotto la terra, il cielo* (1986) che già fin nel titolo definisce e conferma questa ipotesi. Il cielo, in questa dimensione religiosa, arriva a compentrare la terra, proprio là dove sembra raccogliere il disfacimento del corpo, quello che dopo la morte, ritorna alla terra, ma per ritrovare una diversa forma di "cielo".

Questo paesaggio metaforico della "periferia dell'abbandono" già al centro di *Camere separate* (1989) di Pier Vittorio Tondelli ritorna, attraverso una prosa lucida ed estrema anche nel *Congedo ordinario* (1996) di Gilberto

Severini, un "breviario laico" sul tema dell'amicizia e del riconoscimento di sé. Più d'ogni altra immagine i traslochi assumono l'identità di un tempo che chiude alle spalle gli spazi vissuti e i loro segreti, l'intesa naturale che traspare in una forma di grandi pudori che affiorano tra le parole e le lunghe sere di colloqui e di luci accese alle finestre.

Questa è un tema ricorrente anche nella narrativa di Salvatore Mannuzzu, da *Un morso di formica* (1989) a *Il terzo suono* (1995). Il primo romanzo è tra gli esiti più singolari della scrittura di questi anni, anche per quella visione del mondo che alterna la colloquialità, la vita vissuta, e la costruzione romanzesca. Si potrebbe anche dire che la vita è guardata attraverso tre livelli: la finzione, l'umoralità inconscia, e la cronaca quotidiana. Restano, a memoria del romanzo, arie di bellezza struggente: vedute di mare, approdi familiari, malinconie improvvise. La perfezione sta in questo continuo intrecciarsi di limpidezze e rancori interiori, registrati da Mannuzzu nell'arco temporale di una vacanza breve, riandando a quella «vita che si perde senza delicatezza», registrata dalla note di "Smoke gets in your eyes" di Jerome Kern e di "Petit fleur" di Sidney Bechet o dalla voce di Mina.

Un altro percorso di grande rilievo è quello di Erri De Luca, da *Non ora non qui* (1989) a *In alto a sinistra* (1994). La lingua di De Luca, mostra quanto la frequentazione biblica abbia maturato la sua parola che sembra fremere su diverse tensioni e aver riferimenti precisi nel testo sacro. Nell'ultimo libro è centrale l'esperienza del padre. Il suo attraversare le orme della fede tramite i libri, quella centralità assoluta che il libro viene a rivestire nell'esperienza del padre (lettore) e del figlio (scrittore) diventano il centro per rivelare il senso di questa crescita, nell'esperienza di uomini «in transito nel loro tempo, che avevano i bagagli pronti come chi stia in esilio e aspetti da un momento all'altro di tornare». Il padre affida al figlio il ricorso alla memoria come occasione di fede e lascia a lui, come testamento, la ragione stessa di questi racconti: «Ama un poco anche i libri del tuo tempo, ama un poco i tuoi anni che sono quelli che passano e non quelli che ti restano».

Attraverso queste forme assai differenziate di "realismi interiori" lo scrittore sembra rivendicare la propria naturalità, il proprio essere un cercatore di storie. La diversa prospettiva viene chiarita, non solo implicitamente anche dagli scrittori da poco affermati. Anzi, c'è chi tra loro ne fa quasi un "manifesto". È il caso di Giulio Mozzi che con *Questo è il giardino* (1993) conferma la necessità di una scrittura che si evolve come lento scandaglio dell'anima, viva nelle proprie ossessioni, sussultante di una nevrosi segreta che trova in una lingua densa, assolutamente espressiva, l'accordo con una voce interiore, priva di remore. Mozzi sente la necessità, in un racconto che ha per titolo "Per la pubblicazione del mio primo libro", di delineare un autoritratto, assai tondelliano nella struttura (il Tondelli delle conferenze e de "Il mestiere dello scrittore"), in cui la scrittura è intesa non come necessità di sopraffazione, di potere, di autocompiacimento, ma come atto di pudore, un modo per cercare se stessi dentro le storie degli altri.

C'è anche una forma di angoscia che freme in molte storie, quasi a destinare un ricerca tesa al corpo e ai suoi resti: Antonio Moresco in *Clandestinità* (1993) inscena la verità del nulla che annienta, del corpo che ha bisogno di scoprirsi in tutta la sua fisicità per avere la certezza di essere, per ritrovare la coscienza di dirsi vivo. È il filo conduttore di questi racconti, nati dalla penna di un Kafka che sembra aver percorso tutta la scena novecentesca in compagnia di Beckett e di Bacon. Il corpo, in relazione sì a se stesso e all'inferno che vive, ma anche e soprattutto in rapporto con la segregazione del contesto sociale. Così le camere blu, le latrine, i buchi, gli armadi e le finestre diventano il paesaggio nero e sporco di una quotidianità che trova l'essere ormai disorientato, non solo nei rapporti con gli altri, ormai vanificati, ma innanzitutto con una interiorità che si ritrova solo nel colloquio con i propri enigmi e i propri mostri. Nella stessa direzione, ma su un piano meno surreale, Filippo Betto, con *Certi giorni sono migliori di altri giorni*, (1996) arriva a celebrare i "crimini del cuore", in un procedere da cerimoniale crudele. È come se una lama puntasse dritto alla realtà, mettendo in evidenza un aspetto "noir", ma di un nero-notte-mostro quotidiano che afferra soprattutto l'anima, per annientarla nella scrittura.

ATZENI, Sergio. *Passavamo sulla terra leggeri*. Mondadori, 1996.
Il narratore Antonio Setzu racconta a un ragazzo la storia dei Sardi e della Sardegna, dai tempi mitici delle prime tribù di pastori e agricoltori fino al dominio piemontese, passandogli il testimone di "custode del tempo", depositario della memoria collettiva. Scritto col passo, con le clausole e con il tono del racconto epico, il romanzo rivela un modo di narra-

re "antico", distaccato e appassionato al tempo stesso, nel recupero della tradizione orale.

BETTO, Filippo. *Certi giorni sono migliori di altri giorni.* Marcos y Marcos, 1996.
Raccolta di racconti. Le ultime ore di un malato, ma anche i riti e le follie nelle discoteche a notte fonda, un professionista che mura vivo un giovane professore universitario, una stranissima donna greca che cerca di costringere una giovane appena conosciuta a rinchiudersi con lei e il figlio che non si alza mai dal letto in una specie di eremo in Germania. I frammenti di queste storie mettono in scena un aspetto "noir", ma di un nero-notte-mostro quotidiano che, inesorabilmente, segna i "crimini" del cuore.

CONTI, Guido. *Sotto la terra il cielo.* Guaraldi, 1996.
Un professore ritorna al paese dove è nato, in una Padania di nebbie e di terra che esala i propri umori; ripercorrendo un personale itinerario poetico attraverso il Novecento italiano intesse una riflessione sul senso ultimo dell'esistenza e sul congedo dalla vita. Riemergono i momenti con la donna amata, che diventa colei che accompagna all'accettazione della morte e del sua realtà.

DE LUCA, Erri. *In alto a sinistra.* Feltrinelli, 1995.
Un ricordo di scuola, la notte di un assassino, un amore che finisce, la difficile convivenza con un lavoro pericoloso. "Le storie di questo libro stanno nel perimetro di quattro cantoni: un'età giovane e stretta, di preludio al fuoco; una città flegrea e meridionale; la materia di qualche libro sacro; gli anni di madrevita operaia di uno che nacque in borghesia". Una raccolta di racconti già editi su varie riviste — Alp, Panta, Nuovi Argomenti — che confermano la vena lirica e sanguigna dello scrittore partenopeo.

DI STEFANO, Paolo. *Baci da non ripetere.* Feltrinelli, 1994.
Romanzo familiare, di forti sentimenti e di fantasie estreme, di tenerezze e di

fughe, percorso dalla storia di una relazione bruciante che si trasforma lentamente e inconsapevolmente in una ineluttabile lontananza. Attraverso l'alternanza di due voci narranti, lettere e brani di diario, la fuga notturna di una donna che si sottrae al marito, a se stessa e al proprio passato; un infanzia siciliana, i racconti picareschi di un nonno dongiovanni e la violenza primitiva contro la donna-schiava; la necessità di emigrare in un nord estraneo per sfuggire alla miseria, nei primi anni Sessanta.

DONINELLI, Luca. *Le decorose memorie*. Garzanti, 1994.
L'analisi delle contraddittorietà dell'esistenza, alla ricerca di una spiegazione di quel "male che ha lo stesso volto del bene" sono al centro delle varie storie che si alternano nel libro. La scoperta di sé e del valore dei rapporti umani, i rimorsi e le colpe, una realtà intuita tra comico e grottesco, dolore e riscatto delle ambizioni perdute delineano un paesaggio stralunato, in cui la cattiveria è assolta nell'ottica della pietà.

MANNUZZU, Salvatore. *Un morso di formica*. Einaudi, 1989.
In una Sardegna malinconica che volge all'autunno, un accordo musicale scandisce la ricerca di una "vita che si perde" negli enigmi. Protagonisti, uno zio e un nipote che trascina la sua gioventù inquieta. Ne emerge un ritratto del disorientamento, visto attaverso il confronto di due generazioni, tra aspirazioni, disillusioni e ansie di una ritrovata vitalità.

MOZZI, Giulio. *La felicità terrena*. Einaudi, 1996.
Dieci racconti, scritti con uno stile asciutto, al centro dei quali è messa la vita ordinaria, la minima avventura dei sentimenti in cui irrompe lo scacco esistenziale, la follia, l'amore, il male o una presenza divina. Fra i personaggi, Vanessa, una giovane impiegata che parla con il diavolo attraverso le macchine dei conti correnti; Lele, un cameriere che trova due milioni in una cabina del telefono e li spende in una notte di squallida iniziazione alla vita adulta; Maria Annunziata, una dattilografa che, incapace di affrontare la morte del figlio di quattro anni, ne inventa il

fantasma, con il quale condivide una immaginaria ma verissima felicità terrena.

PARDINI, Vincenzo. *Rasoio di guerra*. Giunti, 1995.
Nel paesaggio rude e aspro della Garfagnana, in un passato prossimo, quasi leggendario, si muovono storie di banditi e di animali. L'intreccio mette in luce il tema della fisicità e della vibrazione naturale dei corpi.

PICCA, Aurelio. *I mulatti*. Giunti, 1996.
La giovinezza diventa il segno di una purezza vissuta dentro una folgorazione angelica. Un romanzo che incede per frammenti di prosa poetica, ritrovando l'elegia delle amicizie perdute e rivissute nel segno di un atto d'amore e di riconsegna al cielo del gruppo di ragazzi protagonisti.

PICCA, Aurelio. *L'esame di maturità*. Giunti, 1996.
L'istituzione scuola e lo sguardo del professore che racconta in prima persona sono immersi in una dimensione di "surrealtà" e su tutto domina l'ossessione del sesso, esibito come forza istintiva della natura, in una dimensione di "forza-possesso". Al di là di quest'agra condizione, c'è, imperiosa, la ricerca di una risalita metafisica, verso un cielo a dimensione di "eternità".

PRESSBURGER, Giorgio. *I due gemelli*. Rizzoli, 1996.
La storia di Aron e Beniamino è quella di due destini costretti a completarsi a vicenda. Negli affetti, nel lavoro, nel gioco, nella quotidianità, le loro scelte, le loro differenze rimangono sempre parziali perché ricevono il loro compimento e il loro significato solo nella complessità di un sentimento reciproco.

ROMAGNOLI, Gabriele. *In tempo per il cielo*. Mondadori, 1995.
Un viaggio verso il mare, in attesa del cielo in cui si libererà la mongolfiera-metafora. Quello dei protagonisti, fra i quali Reno e la vedova Neri che si

trasforma in una dark lady, e Nico, rinchiuso in un manicomio criminale e liberato dal fratello per essere trascinato in questa direzione "strada-mare-cielo", è un viaggio ossessivo, tra caselli, benzinai, aree di servizio, stazioni di sosta, su un'autostrada che diventa zona limite, per tutte le fughe e per tutte le follie, alla ricerca di quel paradosso che riveli almeno una verità.

SEVERINI, Gilberto. *Congedo ordinario*. Pequod, 1996.
Il racconto, in realtà, è un viaggio dentro le profondità di due anime e della loro amicizia: quella di un professore omosessuale che vive la sua condizione nella provincia marchigiana degli anni Cinquanta, tra disarmonie affettive, dolori interiori, tensioni spirituali e Ines, l'amica cattolicissima, salda nei propri principi, di una fede non da esibire, ma da vivere con "serietà e riservatezza", pronta sempre a comprendere e a non giudicare, per non corrompere il segreto della loro intesa.

7. Nuove periferie multietniche

Carmine Abate, *Il muro dei muri*
Edoardo Albinati, *Il polacco lavatore di vetri*
Gianfranco Bettin, *Sarajevo maybe*
Vito Bruno, *Cirlè e altri racconti*
Claudio Camarca, *Ordine pubblico*
Andrea Carraro, *Il branco*
Vincenzo Cerami, *Un borghese piccolo piccolo*
Massimiliano Governi, *Il calciatore*
Peppe Lanzetta, *Incendiami la vita*
Marco Lodoli, *Grande raccordo*
  I principianti
Giancarlo Marinelli, *Amori in stazione*
Sebastiano Nata, *Il dipendente*
Edoardo Nesi, *Fughe da fermo*
Raffaele Nigro, *Ombre sull'Ofanto*
Sandro Onofri, *Colpa di nessuno*
Davide Pinardi, *Il ritorno di Vasco e altri racconti dal carcere*
Vito Ventrella, *Il pudore di Ares*
Sandro Veronesi, *Venite venite B 52*
Dario Voltolini, *Forme d'onda*

Sono le storie degli anni Novanta, nelle quali l'identità è compromessa e un centro stabile d'identificazione non ha più ragion d'essere, a rilanciare, nella narrativa meno ovvia e più originale, il tema della periferia. Non è solo il romanzo di genere (più spostato su altri fronti, d'azione o grotteschi) a far proprio questo mondo: basti pensare al romanzo di Davide Rondoni, *I santi scemi* (1996), alle storie dal carcere di Davide Pinardi, alla assolata città del sud nella quale si muove il protagonista del racconto di Ventrella, alla Napoli come ventre céliniano di Erri De Luca, alla babele afro-romana del mondo messo in scena da Marco Lodoli nella trilogia de *I principianti*, per intuire come la periferia sia tornata ad essere un luogo narrato.

Grande Circo Invalido, I fannulloni e *Crampi* di Marco Lodoli creano un trittico teso, non tanto a decifrare, quanto a rendere evidente, i contorni di «un tempo babilonese, sumero, italiano». I tre momenti della trilogia sembrano allinearsi soprattutto sul piano linguistico, assai ricco, proprio in forza del fluire di un parlato che raccoglie umori e stramberie. Immagine simbolica è la scuola del *Grande Circo Invalido*: nel paradosso che rappresenta, diventa solo un pretesto per contenere la babilonia delle incertezze, per aizzare i sogni perduti, per unificare destini isolati, solitudini senza speranze, inconclusioni quotidiane e giustificarle in un grande cielo utopico che crea, non già mostri, ma allucinazioni al limite della tenerezza. L'importante per i suoi personaggi è riprendersi la vita dichiarandosi anarchici, dare sfogo alla propria nostalgia attraverso sfide continuamente negate, perché manca la forza di aggrapparsi ad esse totalmente. Resta anche la metafora del circo, forse la stessa che racchiude l'intero senso della trilogia. In questa immagine si raccoglie il senso della realtà continuamente trasfigurata nel desiderio, quasi per gioco. La periferia diventa quindi un luogo simbolico, non più da descrivere con una stile realista, come poteva esserlo negli anni Cinquanta per Testori o per Pasolini.

Romolo Bugaro in *Indianapolis* (1993) raccoglie una serie di racconti, dalla scrittura molto diretta, che indagano la vita quotidiana di gruppi di giovani alle prese con la fuga dal grigiore delle metropoli del Nord. Una sorta di sfida sembra essere l'elemento caratteristico di queste narrazioni che mettono in scena, senza clamore, il disagio metropolitano, tanto stridente da non richiamare più nemmeno il nome delle città, anonime e difficilmente vivibili. La periferia è il luogo in cui macerare le proprie ossessioni, sia che racconti interni piccolo borghesi e devastazioni familiari nella cerchia romana (Massimiliano Governi, Sebastiano Nata, Sandro Onofri, Vito Bruno, Andrea Carraro), sia che percorra le assolate e un po' pigre città del Sud (Vito Ventrella). Può rappresentare scenari di provincia (Angelo Ferracuti), o diventare metafora di un confine oltre la città, con la stazione di Giancarlo Marinelli e con il carcere di Davide Pinardi.

La nuova dimensione della periferia come paesaggio simbolico dell'alienazione della realtà corrisponde anche ad una mutata scelta degli strumenti linguistici usati dagli scrittori negli anni Novanta. Si passa da una prospettiva di lettura della realtà intesa, sul finire degli anni Ottanta, in una dimensione sociologica o estetizzante, ad una più coraggiosa, meno consolatoria presa di posizione che preferisce uno sguardo impietoso, grottesco, sarcastico. Il linguaggio diventa frenetico e cerca di deviare e di assumere le forme degli umori e dei laceranti dissidi interiori. Basti pensare al signor Klennex di Vito Ventrella, usciere irrisolto che cerca di lenire la sua meschinità in una continua sovrapposizione tra la sua realtà e quella dei clandestini disperati.

Massimiliano Governi, ne *Il calciatore* (1995), si muove in un paesaggio agro, privo di luci e di punti di riferimento. Il protagonista vive la sua allucinazione con ripetuti flash-back, all'interno di una cinquecento. Immobile, davanti a un palazzone della Garbatella, arriva all'omicidio gratuito, giustificato da questa calma piatta, dove le ribellioni non riescono a esplodere se non in modo definitivo, come deflagrazioni della coscienza. La "vita agra" degli anni Novanta, raccontata da Governi con espressionismo linguistico, aveva già trovato in Marco Lodoli, ma anche in Aurelio Picca e in Andrea Carraro una dimensione di scrittura che rapprende la realtà dentro un grumo acido.

Si avverte una sensazione di disagio anche nei racconti di Vito Bruno, *Cirlè* (1995), proprio per le situazioni al limite che ciascuna storia inscena dentro il deserto metropolitano. Come si potrebbe spiegare la decisione di un uomo che un giorno esce di casa con la precisa intenzione di picchiare, a caso, uno sconosciuto? O ancora quale senso dare alla ferocia che preme dentro il ragazzo costretto a star solo in casa con un cane che non ama e che risolutamente lo segue? I racconti si risolvono proprio nel contrasto tra una quotidianità soffocante e il desiderio di liberazione da un deserto in cui l'unico urlo possibile è il gesto estremo, quello che scatta dentro al vuoto, quasi per infragere la sua immobilità. Il disagio diventa inclemente e anche la scrittura incide, senza pietà, sulla gabbia soffocante di una emblematica città, «enorme, senza un confine, piatta".

Anche nel *Dipendente* (1995) di Sebastiano Nata troviamo la metafora di un personaggio negativo che cerca uno spazio di originalità e di autenticità nella propria esistenza. Ogni suo sforzo sarà irrimediabilmente condannato ad una forma di nevrosi che annienta le possibilità stesse del pensiero, per diventare coscienza della negatività dei rapporti umani, prima ancora che dei rapporti di lavoro. La storia di Nata è anche un "j'accuse" ai riti dello yuppismo degli anni Ottanta, attraverso la figura di Garbo, dipendente di una società internazionale di carte di credito che gestisce i rapporti in Italia. Da sempre scrittore della realtà, attraverso un linguaggio scabro, volutamente grigio e realista, Vincenzo Cerami esordisce, nel 1976, con *Un borghese piccolo piccolo*, in cui realismo e satira, pietà e humor nero compongono una vicenda che, ancora oggi, appare esemplare per capire un pezzo d'Italia. Con *La gente* (1993) ritorna con lo stesso sguardo impietoso, a volte implacabile e senza assoluzione. È come se lo scrittore riassumesse e conglobasse in un unico, ampio affresco tutto il suo mondo espressivo, dominato da un realismo "nero", attraversato da folgori fantastiche e inquietanti, come in *Ragazzo di vetro*, ma pervaso da una vena allegorica e un po' surreale, come in *Tutti cattivi*. Questi racconti, dal carattere funambolico e disillusorio, creano un mondo parallelo dominato dall'inquietudine, dalla fuga, dal trascinamento. Cerami scrive delle favole metropolitane in cui il centro affabulatorio e magico è rappresentato dallo humor nero che, più che la satira, impone a ciascuna vicenda il tono di una crudele e anche rivelatrice messa in discussione della cognizione di normalità e di quotidianità.

ABATE, Carmine. *Il muro dei muri*. Argo, 1993.
Il tema che viene messo in evidenza è l'essere "straniero". La metafora è quella del "muro", simbolo dei rischi e delle incertezze che implica il vivere in un paese straniero ma anche del possibile percorso verso l'integrazione. Il libro è impostato proprio su questa duplice ipotesi, non solo là dove mette in scena il rapporto, anche drammatico, tra l'emigrante e il paese che lo accoglie, ma anche nello scandagliare tutte le problematiche e i dissidi che accompagnano la scelta di abbandonare la propria terra.

ALBINATI, Edoardo. *Il polacco lavatore di vetri*. Longanesi, 1989.
Le imprese violente di un gruppo di "ragazzi di vita" si intrecciano con le illusioni dei polacchi, immigrati a Roma. I protagonisti vivono in una sorta di kasbah minimale, lo scantinato di una ex-palestra, spazio gestito da un prete, anche lui polacco. Su tutto aleggia il senso della corruzione, come emblema di un tessuto contemporaneo che spezza ogni naturalità.

BETTIN, Gianfranco. *Sarajevo, maybe*. Feltrinelli, 1994.
"Maybe", come "forse", come l'incertezza che grava sul giovane protagonista di questo romanzo-reportage che ricorda un amico fuggito dall'Italia senza più dare notizie di sé. Insieme hanno percorso l'Europa inquieta del dopo Muro, insieme sono stati, in un viaggio di solidarietà, nella Sarajevo assediata e bombardata. Sarajevo, Mostar, Osijek e altri luoghi dannati della ex-Jugoslavia diventano così protagonisti assoluti di un romanzo che prova a raccontare di amori difficili sorti fra le macerie ed amicizie lontane, scandite dalle note di Bob Dylan. Con dolore, ma anche con speranza.

BRUNO, Vito. *Cirlè e altri racconti*. Feltrinelli, 1995.
Un giornalista insegue un reportage da pubblicare su un giornale, ma non arriverà mai la chiamata della redazione che commissiona il pezzo; un ragazzo costretto a star solo in casa sfoga la sua rabbia su un cane che risolutamente lo segue; un uomo, improvvisamente, esce di casa deciso a picchiare tutti quelli che incontra: sono alcune della storie di ordinaria ossessione metropolitana, specchio del disorientamento della società contemporanea.

CAMARCA, Claudio. *Ordine pubblico*. Baldini & Castoldi, 1996.
Meraviglia è un killer borgataro, gonfiato dalla palestra e dagli anabolizzanti, che uccide per il puro gusto di uccidere. Il suo antagonista, non meno disperato, è Faddi, poliziotto indurito da sventure matrimoniali e con lo stomaco sconvolto dall'alcool e dalla crudele cronaca quotidiana. Una storia mozzafiato dal vago sapore pasoliniano, che si svolge in un inferno metropolitano dove avvengono delitti mostruosi e arcaici. La scrittura è dura, scarna, senza connotazioni liriche, quasi cinematografica.

CARRARO, Andrea. *Il branco*. Theoria, 1994.
La storia di uno strupro collettivo organizzato da un gruppo di giovani che passano le loro giornate tra un bar e l'altro dell'hinterland romano. Una storia violenta che smaschera il degrado dei rapporti umani negli squallidi territori di confine fra periferia urbana e provincia agraria, come ce ne sono

tanti in Italia, e che descrive la psicologia lacerata di ragazzi senza cultura e senza strumenti per scegliere, senza pietà e senza riscatto.

CERAMI, Vincenzo. *Un borghese piccolo piccolo*. Einaudi, 1995.
Giovanni lavora come impiegato in un Ministero. Prossimo alla pensione, sogna per suo figlio Mario — ragioniere — una brillante carriera all'interno del suo stesso Ministero. Pur di aiutarlo, Giovanni è disposto a tutto, persino ad entrare nella Massoneria. Ma proprio il giorno in cui si svolge la prova scritta del concorso, Mario viene ucciso — sotto gli occhi del padre — per una tragica fatalità nel corso di una rapina. Durante un ennesimo riconoscimento in questura, Giovanni riconosce l'assassino di suo figlio. Perso il controllo, lo insegue, lo sequestra e, dopo averlo ferito, lo abbandona ad una terribile agonia. Giovanni si ritrova, infine, in pensione, vedovo e completamente solo.

GOVERNI, Massimiliano. *Il calciatore*. Baldini & Castoldi, 1995.
Un giovane uomo, chiuso nella sua cinquecento, davanti ad un palazzone della Garbatella cova il desiderio di vendetta che possa riscattare le sue frustazioni e le sue impotenze. A pagare deve essere il responsabile della prima, tra le sue molte esclusioni: il vecchio allenatore di calcio che vent'anni prima non lo aveva fatto scendere in campo.

LANZETTA, Peppe. *Incendiami la vita*. Baldini & Castoldi, 1996.
In questi racconti Lanzetta — Masaniello postmoderno — assembla amori, calamita rabbie, raccoglie voci dai vicoli, soffia tenerezze. Le mille e una storia che infiammano ogni giorno Napoli, suburbia del mondo e Bronx minore dell'anima. L'urlo di tutti i diseredati arriva, rimbalzando tra le nuvole, a Massimo Troisi e, nonostante tutto, c'è ancora la forza di fare festa.

LODOLI, Marco. *Grande raccordo*. Bompiani, 1989.
Ogni racconto sembra ruotare nello spazio di quell'anello stradale che dà il

titolo alla raccolta e che "porta ovunque e chiude in sé la città". Dentro quello spazio si animano storie che sembrano generate in una sub-coscienza e dalla necessità di accettare la vita come un evento magico o surreale. Del resto il senso del libro lo si ritrova in questo finale di racconto: "Chiederò una stanza sul "Grande Raccordo" per continuare a vivere così, al di qua di ogni vita. Aprirò la finestra e guarderò il cielo, dove già fluttuano le luci dei lampadari nelle fabbriche-astronavi, colme di nani e di madonne di gesso".

LODOLI, Marco. *I principianti*. Einaudi, 1994.
Tre romanzi brevi compongono questa trilogia, animata da situazioni e personaggi estremi che si muovono in un contesto favolistico, sospeso tra il sogno e la dura lacerazione della realtà. *I fannulloni* mette in scena l'avventura stralunata di un vecchio pensionato, ex-rappresentante di commercio, e di Gabèn. *Crampi* è la storia pardossale di un attraversamento, compiuto fino allo stremo, in compagnia di una capra. *Grande Circo Invalido* gioca i suoi sogni intorno a un terzetto composto da un bidello anarchico, un insegnante privo di risorse e un alunno che vuole diplomarsi.

MARINELLI, Giancarlo. *Amori in stazione*. Guanda, 1995.
La realtà emarginata che emerge in questo romanzo è quella dei balordi che cercano una loro disperata vitalità, dentro le stazioni un po' grigie, un po' anonime delle nostre città. Drogati, omosessuali, sbandati che si raccontano, in un monologo tumido di umori e di tensioni nascoste, come grida sentite nel cuore e trasformate in echi lanciati alla totalità del cosmo.

NATA, Sebastiano. *Il dipendente*. Theoria, 1995.
Protagonista di questo romanzo è un dipendente di una società internazionale di carte di credito operante in Italia, alle prese con la spietatezza di Ben, un dirigente che incarna l'emblema del potere. Una scrittura fluente amplifica le nevrosi e il senso di disagio che caratterizzano questo spaccato, decisamente anomalo, sugli anni Novanta.

Nɛsɪ, Edoardo. *Fughe da fermo*. Bompiani, 1995.
Ossessionato da un amore non corrisposto, Federico trova un simulacro di vendetta, fatto di azione pura e troppo umana: travestiti, filmetti porno, prostitute straniere, sbronze di mescal e risse in discoteca. E poi, nobile e illustre come quell'amore non corrisposto, l'odio per il sistema. Nesi scava senza pietà la psicologia dei suoi eroi tragicomici e commoventi, che si muovono nella provincia toscana, fino a scovarne i lati più nascosti per rappresentarli con ironia e cinismo.

Nɪɢʀᴏ, Raffaele. *Ombre sull'Ofanto*. Mondadori, 1994.
Romanzo sulla violenza malavitosa nel sud dell'Italia. Arminio, studente di lettere e figlio di un impresario di pompe funebri, si fa coinvolgere in un pericoloso traffico di armi e stupefacenti. Da questa realtà cruenta, dove non c'è né carità né speranza, Arminio ne esce solo fuggendo.

Onᴏғʀɪ, Sandro. *Colpa di nessuno*. Theoria, 1995.
Paolo, figlio di un macellaio romano, passa da un licenziamento all'altro e finisce a Las Vegas dove conosce una giovane italiana, tenutaria di una casa di tolleranza. I due tornano insieme in Italia. In una notte di violenza, Paolo picchia la ragazza e scappa via, credendo di averla uccisa. La polizia rinviene il cadavere, ma non è così che lui l'ha lasciata. Inizia così una lunga fuga che è insieme viaggio. Un giallo duro, livido e allucinato.

Pɪɴᴀʀᴅɪ, Davide. *Il ritorno di Vasco e altri racconti dal carcere*. Marcos y Marcos, 1994.
Dalla personale esperienza dell'autore, per alcuni anni insegnante in un carcere, una raccolta di racconti che mette a fuoco il tema del rifiuto e dell'emarginazione. Vagabondi che si spacciano per Vasco Rossi, detenuti alle prese con un diploma scolastico, extracomunitari che si ritagliano un lavoro fra le pareti di una prigione: storie vere che evitano il giudizio morale per privilegiare lo scandaglio psicologico e la rappresentazione dell'universo sentimentale di una umanità reclusa.

VENTRELLA, Vito. *Il pudore di Ares*. Einaudi, 1995.
Il libro si compone di due racconti lunghi: quello che dà il titolo alla raccolta, in cui emerge la meschinità dei piccoli personaggi in relazione al dramma della Guerra del Golfo, e l'altro, *Il signor Kleenex*, grottesca avventura di un usciere in una città assolata del sud, tra paure e allucinazioni suscitate dalla presenza di clandestini disperati, che diventano emblema di una beffarda ricerca d'identità.

VERONESI, Sandro. *Venite venite B 52*. Feltrinelli, 1995.
La storia comincia nel 1967, quando Ennio Miraglia, protagonista del libro, sbarca a Viareggio, in Versilia. Sta per debuttare con il suo complesso Los Locos, con un repertorio variegato: twist, hully gully, tamuré, cha-cha-cha, ma il proprietario del night, un costruttore edile, lo assume come autista. Per il sassofonista-comunista Ennio Miraglia si spalanca la possibiltà di in miracolo economico che lo porterà fin sulle antenne dei satelliti televisivi. Intanto Viola, sua figlia adolescente, prega i B 52 di venire a bombardare tutto: casa giardino, famiglia, nemici e amici. Romanzo ironico e disincantato che prova a raccontare il nostro passato prossimo.

VOLTOLINI, Dario. *Forme d'onda*. Feltrinelli,1996.
Raccolta di racconti, frammenti e descrizioni dove convivono coppie che comunicano attarverso appunti di lavoro e fantasie del dormiveglia, spettatori sbeffeggiati da delfini acrobati, campioni dello sport, architetti che dialogano con la propria città, bambini che scompaiono in casa. Una esplorazione delle ineffabili relazioni fra persone, oggetti, avvenimenti.

8. Reale, surreale, forse anche comico

Alfredo Antonaros, Mahò. *Storia di cinema e petrolio*
Marco Bacci, *Il pattinatore*
Roberto Barbolini, *Il punteggio di Vienna*
Alessandro Bergonzoni, *Il grande Fermo e i suoi piccoli Andirivieni*
Ambrogio Borsani, *Storie contro storie*
Enzo Fileno Carabba, *Jacob Pesciolini*
Alvaro D'Emilio, *Belli dentro*
Gene Gnocchi, *Una lieve imprecisione*
Lorenzo Mattotti - Lilia Ambrosi, *L'uomo alla finestra*
Gabriele Romagnoli, *Videocronache*

Remo Cesarani, in un'accurata analisi sul postmoderno nella narrativa italiana, scrive: «Se qualcuno, poi, vuol sapere quale può essere il luogo centrale della letteratura postmoderna in Italia, io non esiterei a dire l'Emilia e la Romagna. Sono Bologna, Ferrara, Mantova e Rimini (e la San Marino di Umberto Eco) i "luoghi" del postmoderno, percorsi dai personaggi bizzarri e silenziosi di Celati, da quelli espressionistici di Busi, da quelli grotteschi e picareschi di Cavazzoni. In tutti questi scrittori c'è qualche elemento del postmoderno: il gioco disorientante delle apparenze, la soggettività appiattita in pochi gesti e rituali e in lunghi silenzi, la sontuosità decorativa dello stile, la vena di follia per cui l'essenza individuale va lentamente, come in Ariosto, a riempire delle ampolle conservate sulla luna». (Il Manifesto, 11 giugno 1989)

Quale scrittore postmoderno, il critico indica Marco Bacci. A proposito de *Il pattinatore* (1986), il critico sottolinea: «Per raccontare l'irraccontabile prima guerra mondiale, ha scelto la strada di narrare montando frammenti di immagini e collezionando illustrazioni della "Domenica del Corriere", facendo così un'operazione per certi versi simile a Nabokov che, per sfuggire a esperienze troppo difficili, si mise a collezionare farfalle. La tematica della temporalità indebolita approda qui a una storia di invenzione della macchina del tempo. La scrittura si avvale del riciclaggio di forme e modi della tradizione che non è né esortativo né funzionalizzato astutamente, ma diviene ragione stessa profonda del racconto, modalità generale della rappresentazione, istanza tematizzante». La seconda prova dello scrittore è *Settimo cielo* (1988), un romanzo svagato, percorso da una vena ironica e malinconica, a volte surreale, che procede per flash narrativi e nel quale si intrecciano molte storie, collegate dal filo conduttore di una coppia che aspetta un bambino. Mostra l'attenzione verso un realismo magico, di stile prettamente postmoderno, pervaso a tratti da toni da opera buffa. Ceserani mette in rilievo, per esempio, «le corrispondenze fra le icone adorate, collezionate, scambiate e vendute dalla piccola comunità russa in esilio, che fa sfondo al romanzo (...) e l'icona che si produce sullo schermo dei videoterminali, fra le linee di trasmissione delle immagini nella televisione a bassa definizione, quelle delle trame narrative e quelle della scrittura».

Anche se la tradizione postmoderna in Italia ha avuto poca fortuna, può annoverare, oltre a quelli di Bacci, due romanzi molto interessanti come *Il punteggio di Vienna* (1995) di Roberto Barbolini, in cui la ricerca linguistica avviene su più livelli ed entro strutture narrative a *pastiche*, e *Jacob Pesciolini* (1993) di Enzo Fileno Carabba, che recupera, in chiave postmoderna, l'incubo e la visione cinematografica, riletta però con il linguaggio del fumetto.

L'ironia è la chiave di lettura del romanzo di Roberto Barbolini: finalmente troviamo in Italia uno scrittore disposto a scommettere su una narrazione a incastri, senza temere ambiguità o salti temporali, tanto da coniugare la contemporaneità con il passato prossimo "generazionale", il Settecento da "tour" e un 1821 "carbonaro". Su tutto la convinzione che la narrazione sia in primo luogo avventura della lingua, grand guignol del linguaggio che Barbolini fa esplodere nella sua carnalità padana.

Enzo Fileno Carabba, con *Jacob Pesciolini,* sembra ritornare, pur con esiti decisamente diversi, alle tracce del primo Andrea De Carlo, quello di *Treno di panna* e di *Uccelli di gabbia e di voliera.* Carabba convince soprattutto per l'abilità di tessitore di storie: il suo romanzo è un contenitore d'avventure, vissute per frammenti, all'insegna della velocità e del colpo di scena, in un ritmo che segue lo scorrere disordinato dello schermo televisivo e che adotta il fumetto come modello e come tecnica narrativa. Alla realtà Carabba privilegia l'immaginario, al realismo sostituisce il fantastico, in una corsa forsennata che modifica le strutture del tempo e dello spazio, in virtù di una parola, il cui potere è appunto quello della finzione.

Il suo raccontare, via via surreale, grottesco, patetico, in cui l'orrore e la devastazione s'impongono nei toni, nei colori e nelle forme che ha assunto il fumetto, interpreta l'immaginario giovanile degli anni Ottanta. È proprio questo a sorprendere in *Jacob Pesciolini*: la mimesi tra scrittura e suggestione. È una linea di riferimento non trascurabile per un'indagine critica: sempre di più, negli anni Novanta, la scrittura diventa visiva.

Non è affatto casuale che, già nel corso degli anni Ottanta, il rapporto tra lo scrittore e il mondo dell'arte figurativa abbia messo l'accento sulla commistione dei linguaggi. È, infatti, sul piano del fumetto che si è giocata la carta vincente, al punto che Feltrinelli decide di pubblicare un romanzo scritto da Lilia Ambrosi e disegnato da Lorenzo Mattotti, *L'uomo alla finestra*. Questo "romanzo per immagini" si snoda per azioni lente, quasi consumate in una rigida e lucida introspezione, che caratterizza il rapporto tra i protagonisti e il paesaggio di certe periferie. Il tratto è un lieve filo che disegna il profilo delle abitazioni, il correre delle rotaie, l'interno ambivalente e magico di una casa-serra. Il paesaggio reale assume valenze metafisiche che via via, per frammenti di immagini, Mattotti trasforma in incursioni nel fantastico, tra allucinazioni, pulsioni, aeree mutazioni.

Già negli anni Ottanta, in tentativi sparsi e sporadici, scrittori come Pier Vittorio Tondelli (nel primo numero de "La Dolce Vita") o Claudio Piersanti collaboravano con disegnatori di fumetti, ma è negli anni Novanta, ha trovato molti più consensi in scrittori che si sono dedicati al "noir all'italiana". Basti pensare a Tiziano Sclavi, il padre di Dylan Dog, a Pino Cacucci, che ha pubblicato, per Granata Press, *Jim*, disegnato da Baldazzini, fino a Carlo Lucarelli e alla sua collaborazione con il disegnatore Catacchio per *Coliandro*, e infine al protagonista del romanzo di Claudio Piersanti, *Gli sguardi cattivi della gente* (1992), un editore di fumetti in crisi.

È in questa chiave del "cartoon" che sembrano emergere alcuni tra gli aspetti più interessanti dei mutamenti del linguaggio. In questo senso gli esiti migliori sono quelli di Gabriele Romagnoli, negli ultimi due libri *Videocronache* (1994) e *In tempo per il cielo* (1995). Lo scrittore sceglie un linguaggio che trova le sue ragioni e i suoi modelli in ciò che è altro dalla letteratura: così la lingua può essere modulata sui ritmi del videoclip o può seguire le sonorità musicali, può accordarsi con le trasmissioni radiofoniche e seguirne struttura e ritmo, può assumere il contesto di un fumetto e agire dentro una realtà iperamplificata, può richiamarsi ai temi del cinema e della pittura contemporanea.

Nel seguire i percorsi della "video generation", Romagnoli si addentra con sguardo esterno in un mondo che si rivela per storie che trovano unità nella dimensione del video, una sorta di gabbia, una specie di allucinazione della realtà, in cui non si sa mai se ciò che accade avviene realmente o se invece è solo un fantasma della finzione televisiva. Il buio diventa quindi una sorta di regno metropolitano, in cui sembra possibile cogliere l'autenticità che il video sostituisce. «Nessuno ha un ruolo definitivo» dice Romagnoli tra le righe delle "videocronache", nemmeno i lanciatori di sassi dai ponti dell'autostrada.

Vi sono autori che prestano minore attenzione agli aspetti gergali della lingua e maggiore attenzione alla mimesi tra lingua e fumetto, tra ossessione virtuale e linguaggio programmato, tra tentazione tecnologica e riferimento multimediale, in cui i modelli più evidenti sono quelli del cartoon giapponese, la sequenza impazzita dei videogiochi, l'iperattività dei cd-rom, lo schermo televisivo come specchio e natura delle storie. Lo dimostrano vari concorsi letterari (si vedano come esempio i venticinque racconti premiati da *Avvenire* nel concorso letterario "Racconta la fine del mondo").

È curioso anche il caso di Gene Gnocchi che, provenendo dalla televisione, porta all'interno della scrittura uno sguardo decisamente diverso. La televisione non ha coercizzato la sua scrittura, ma l'ha amplificata e connotata nella dinamica degli sguardi, come sottolinea Nico Orengo nell'introduzione a *Una lieve imprecisione*: «Perché il suo mondo, la luce di quel mondo, è nel video. In lui non c'è stato pendolarismo, diffidenza o cauto approccio. No, quello è il suo luogo di nascita, il suo continente, il punto cardinale. E un Tom Sawyer elettronico che ha perduto il suo amico Huck e si è inabissato in un mondo virtuale e sconosciuto». C'è un senso di incompiuto nel libro che lascia i destini dei personaggi quasi sospesi in una strana innocenza. Il loro rapporto col mondo è sfiduciato e si abbandonano a sogni imprecisi e un poco surreali: osservano imprevedibili spiagge, comprano interi treni, per rivivere la realtà del viaggio che trascina sempre dentro di sé spazi di paesaggio, epiche quotidiane, mutamenti... Anche il sogno però non li salva o almeno non serve a designare il loro salto oltre quella linea di confine, imposta dall'abitudinario.

Da ultimo, Ambrogio Borsani propone, con *Storie contro storie* (1996), una scorribanda tra i generi letterari, per metterne in luce le debolezze, ma anche i nodi su cui si basa la costruzione romanzesca. Raccontare diventa così un "divertissement" che non rieccheggia gli esercizi calviniani, ma diventa un modo diverso di intendere la letteratura e il bisogno di storie. Dal romanzo storico al best seller, dal romanzo di guerra al romanzo umoristico Borsani accentua gli umori e li restituisce in una sorta di racconto vissuto come ricettario o contenitore gastronomico. Nelle sue pagine si trova qualcosa di gaddiano, del Gaddus più sarcastico delle prose giornalistiche, reinventato con una eleganza stilistica un po' fredda e distante (Dossi e Parini) che serve ad aumentare l'effetto della parodia, a toglierla dal facile sapore ridanciano per restituirla ad un'effetto molto più calibrato.

ANTONAROS, Alfredo. *Mahò. Storia di cinema e di petrolio.* Feltrinelli, 1987.
All'inizio del secolo due uomini, il direttore di un circo equestre che si muove tra il Nord Africa e il Mar Rosso e un giovane soldato, si incontrano per caso su un treno diretto a Massaua. Insieme, vanno prima a Parigi e poi nella immaginaria città africana di Mahò — un vecchio villaggio di capanne trasformato, in seguito alla scoperta del petrolio, in una metropoli in tumultuosa crescita, invasa da folle di disperati in cerca di fortuna e dominata da uno strano dittatore.

BACCI, Marco. *Il pattinatore.* Mondadori, 1986.
Tristano, il pattinatore del romanzo, nasce in una notte di fine secolo quando tutti attendono la cometa. Il suo dono più prezioso è quello di pattinare sul ghiaccio e sulle numerose insidie della vita. Svagato quanto basta, si accorge tardi che la Grande Guerra lo sta inghiottendo. Così sceglie una fuga senza ritorno in un'altra identità, in un luogo mai sfiorato dal conflitto.

BARBOLINI, Roberto. *Il punteggio di Vienna.* Rizzoli, 1995.
Secondo un classico schema della narrativa fantastica, un intreccio di storie magiche, grottesche e paradossali che si snodano per lo spazio e per i secoli in un susseguirsi di giochi a incastri. L'incrocio dei destini di un giovane lord

inglese e del suo precettore con quello di due ragazzi di oggi, un musicista fallito, una donna bellissima, una vecchia oscena e, ancora, briganti, avventurieri, ladri, artisti. Al centro della storia, Modena e la figura ambigua e blasfema rappresentata su una formella del Duomo.

BERGONZONI, Alessandro. *Il grande Fermo e i suoi piccoli Andirivieni.* Garzanti, 1995.
Romanzo surreale e umoristico, racconta le mirabolanti avventure di Alvise e Wella, alla ricerca del diafano Imas, guida di una misteriosa spedizione collettiva. Una girandola di incontri, sempre oltre il limite dell'assurdo, descritti con una lingua funanbolica e una scrittura temeraria, per delineare i contorni di un universo impazzito, un mondo vibratile e inafferrabile.

BORSANI, Ambrogio. *Storie contro storie.* Sperling & Kupfer, 1996.
La necessità parodica è manifesta e il libro si propone come una scorribanda tra i generi letterari, per metterne in luce le debolezze, ma soprattutto le varietà, i divertimenti e le formule su cui si basa la costruzione romanzesca. Così, romanzo rosa e romanzo storico, best seller e romanzo epistolare trovano in Borsani un manipolatore in grado di giocare, senza eccedere.

CARABBA, Enzo Fileno. *Jacob Pesciolini.* Einaudi, 1992.
Jacob Pesciolini è un personaggio dalle origini curiose: da bambino vive in una casa su un'isola in mezzo ad un lago con molti fratelli e senza genitori. Da grande, dopo una serie di disavventure, decide di realizzare, insieme alla sua amata Adel, uno strano progetto: irrorare l'Antartide di succo di limone in modo da ottenere una gigantesca granita. Dopo mille peripezie, Jacob riesce nel suo intento. Ma alla fine lo troviamo in orbita attorno alla terra all'interno di una capsula spaziale.

D'EMILIO, Alvaro. *Belli dentro.* Baldini & Castoldi, 1994.
Il trentaseienne Attila, insegnante d'italiano in una scuola privata, conduce

una vita appiattita, tra fidanzate bruttine e assillanti, amanti turgide e focose e raid tragicomici nelle discoteche del Veneto. Dominato dal fratello culturista e neo-yuppie, si fa coinvolgere in esilaranti e pericolose avventure con femmine prestanti o Giovanne d'Arco che si trasformano improvvisamente in tigri insaziabili. Il romanzo, con un finale a sorpresa, regala ai lettori un inaspettato cambio di tono. Nell'ennesima rocambolesca fuga per sfuggire a un King Kong da discoteca, infatti, Attila incontra Barbara alla stazione di Trieste e...

GNOCCHI, Gene. *Una lieve imprecisione*. Garzanti, 1991.
Raccolta di racconti, animata da personaggi con difetti nella vista, stanchi, in fuga, quasi senza memoria, malinconici. L'incertezza e la vulnerabilità esistenziale alle quali nessuno sfugge, il disagio della realtà, sono descritti e interpretati attraverso lo strumento del nonsense e una narrazione surreale.

MATTOTTI, Lorenzo - AMBROSI, Lilia. *L'uomo alla finestra*. Feltrinelli, 1992.
Romanzo per immagini in bianco e nero, in cui il sovrapporsi di atmosfere, piovose solitarie, oniriche, richiama gli scatti fotografici di Wenders — in particolare le periferie americane di "Alice nella città" —, le introspezioni di Handke o dell'ultimo Celati interrompono la trama fino a renderla estremamente labile.

ROMAGNOLI, Gabriele. *Videocronache*. Mondadori, 1994.
"In una qualsiasi città d'Italia", un ragazzo non riesce a dormire e accende lo stereo e la TV. Sogni, trasmissioni e ricordi che si confondono: il tuo compagno di banco tira i sassi dal cavalcavia; vedrai la tua morte in anteprima al "Bar Futuro"; al telefono ti risponderanno solo fantasmi. Racconti brevi, quasi videoclip, racchiusi in un incubo tra monitor e realtà.

9. Universi femminili

Bosio Laura, *I dimenticati*
Margherita D'Amico, *Rane*
Elena Ferrante, *L'amore molesto*
Silvana Grasso, *Ninna nanna del lupo*
Silvana La Spina, *Scirocco e altri racconti*
Grazia Livi, *Vincoli segreti*
Margaret Mazzantini, *Il catino di zinco*
Laura Pariani, *Il pettine*
Pia Pera, *La bellezza dell'asino*
Fabrizia Ramondino, *In viaggio*
Elisabetta Rasy, *Mezzi di trasporto*
Clara Sereni, *Il gioco dei regni*
Carola Susani, *Il libro di Teresa*
Una Chi, *Il sesso degli angeli*
Marisa Volpi, *Congedi*

Più che della scrittura al femminile, in questo decennio si è imposto il tema dell'universo femminile come luogo di riferimento: non si tratta di rilevare un percorso classificatorio sulla scrittura delle donne, che potrebbe relegarla in uno spazio troppo schematico e in fondo riduttivo, ma di mettere in luce come l'universo femminile abbia ampliato le proprie possibilità comunicative, attraverso una letteratura non solo alla ricerca di una propria identità, ma conscia del proprio ruolo e delle proprie possibilità.

Filippo La Porta, in "La nuova narrativa italiana", scrive: «La migliore narrativa femminile di questi anni racconta i sentimenti in modo antisentimentale (si pensi ai racconti di Sandra Petrignani o di Valeria Viganò), così come mette alla prova le idee attraverso un cortocircuito con la vita affettiva (Clara Sereni). Certo, parlare oggi di "scrittura femminile" è in larga misura abusivo. "Maschile" e "femminile", concetti di sfuggente definizione si scambiano sempre di più le parti nei singoli autori, indipendentemente dal sesso di appartenenza».

La questione non è solo legata ad un aspetto di natura sociologica che riguarda la maggior visibilità e il successo delle scrittrici. Alcune indagini giornalistiche hanno sottolineato una presunta supremazia delle scrittrici alla fine degli anni Ottanta sulla base dei risultati del Campiello, che per quattro anni consecutivi, ha assegnato il Superpremio ad una donna, (Rosetta Loy, Francesca Duranti, Dacia Maraini, Isabella Bossi Fedrigotti), o del successo popolare di Susanna Tamaro e di Carmen Covito. Il dato, piuttosto, mette in rilievo quanto il lettore premi la scrittura femminile, capace forse di maggior sensibilità nella narrazione e di intreccio tra scrittura e bisogni di sentimenti forti. Filippo La Porta mette in evidenza: «I singoli percorsi delle scrittrici italiane di questi anni appaiono tra loro distanti e incommensurabili: come stringere in una stessa categoria Elsa Morante e Oriana Fallaci? Eppure nell'accostarmi alla narrativa femminile ho sempre avvertito una irriducibile, imbarazzante "diversità" (nel rapporto con la scrittura e con il mondo), che mi accorgo di non saper tematizzare in modo adeguato, ma che volevo rendere il più possibile evidente. In particolare mi sembra si possa rintracciare in queste opere una "naturale" contiguità di due termini solitamente contrapposti: quotidianità umile, dimessa, e dimensione mitico-fiabesca, senso molto fisico e quasi tattile della realtà e attenzione per l'utopia (o comunque estraneità-rifiuto verso la storia)».

La scrittura al femminile, oggi, non può darsi come etichetta o come territorio privilegiato. La tradizione letteraria novecentesca ha intuito la presenza delle donne nella scrittura in una posizione isolata e di estrema solitudine. Tuttavia, in questi anni Novanta la narrativa al femminile non solo esce dal suo isolamento, ma si pone come soggetto di una esemplarità del narrare. Questi anni ci sembrano dire, innanzitutto, che la narrativa non è più degli uomini, ma delle donne. Si ribalta la tradizione. Così i frammenti letterari più inquieti, quelli dove la ricerca letteraria si fa più rivoltosa ed agra, provengono da una "riserva" che definisce l'essere "stralunato" dei maschi. Però c'è forse qualcosa che "le donne ancora non dicono". Per scoprire questi segreti è il caso di disvelare universi femminili ancor più alternativi: la scrittura barocca e gonfia di Silvana La Spina cui fa da controcanto il barocco dialettale e terragno di alcuni racconti di Laura Pariani; la lucida e vitrea fenomenologia dei sentimenti che è il segno in cui vibra la narrativa di Valeria Viganò; il ritorno ad una poetica del niente e dei sentimenti bruciati di

Laura Bosio; l'epifania degli amori contraddittori di Marisa Volpi e le controstorie sentimentali di Grazia Livi.

Silvana La Spina più che porre l'attenzione sui destini individuali, inscena la rappresentazione di uno strazio che è diretta conseguenza dell'impotenza: i protagonisti dei racconti di *Scirocco* scelgono di essere pavidi, si lasciano rodere dalla paura, predicano la pazienza. La tensione morale diventa dolorosa, straziante. La scrittrice sembra misurare ogni tassello di questo colloquio a distanza, tra estranei, dal quale emerge però l'acuta verità della coscienza che si interroga sulle proprie, gravi, omissioni. L'inquietudine e l'abbandono ad un destino visto come dimensione inalienabile, costruiscono trame esemplari, inserite in un contesto barocco, quasi da florilegio, nel quale gli elementi sacri dell'esposizione della morte sembrano segnare una sorta di fato inquietante che ottenebra le vite.

I racconti di *Vincoli segreti* (1993) di Grazia Livi sono orchestrati in modo da formare un intreccio romanzesco a più figure sul rapporto uomo-donna. La struttura, pur variata nelle trame e nelle impostazioni, ruota sempre intorno ad una figura maschile guardata da una donna che cerca di rendere evidente un rapporto di crisi o di lacerazione. Nel libro sfilano molti uomini, ognuno con una propria caratterizzazione e un proprio ruolo sociale, che mettono in scena il loro mutismo e la loro incomunicabilità. Il dualismo maschio-femmina che s'impone in questi racconti non è una frattura, ma il tentativo da parte della donna di una conciliazione, di capire il tarlo esistenziale che rode nel profondo la figura maschile. Non un è percorso facile per la donna, quello di entrare in un immaginario altro da lei: anzi, è un itinerario impervio, quasi una lacerazione.

Per Marisa Volpi, come per Anna Banti, la forma narrativa perfetta è il racconto che scava nella passione dei sentimenti, scandagliati in rapporti ambigui e complessi, dove l'incontrarsi delle persone assume i toni di una lotta sommessa; ebrezza e malinconia contrastano, nel loro designare uno scontro scandito da un dolore sordo, quasi irraggiungibile. È questo anche il paesaggio emotivo che caratterizza *Congedi* (1995), libro composto da sei quadri che esplorano o affondano in una solitudine di anime che affannosamente cercano un rapporto. Ogni protagonista, uomo o donna che sia, dentro una esistenza quotidiana che sembra languire, sorda come il trascorrere delle stagioni, sembra vivere la sordità del proprio grido. Così ogni "congedo" apre una stanza sulla passione, ma al tempo stesso ne chiude definitivamente il possesso, proprio perché l'appropriazione di un essere altro da sé sembra impedita.

Nel grigiore si consuma anche la vicenda, emblematica già nel titolo, *I dimenticati* (1993), di Laura Bosio, dove il microcosmo della provincia, nell'uso di un linguaggio poverissimo, ma assai congeniale alla storia, trova una propria ossessività e una rabbia inespressa che, nell'autoannientamento della protagonista, alimenta il senso di una perdita, di una ricerca fitta di errori e di passioni continuamente represse. Così dopo gli anni Ottanta, dopo il glamour di copertina, la scrittura sembra esprimere una propria necessità di ripensamento: ritorna al quotidiano, spesso ben più tragico e carico di energie inesplose e frustrate, che nasconde, nelle sue pieghe, l'essenza stessa del disagio metropolitano.

Con *Il libro di Teresa* (1995), Carola Susani costruisce invece un romanzo famigliare in otto quadri che, pur incentrato su una realtà di turbamenti della carne e di violenze, sembra nascere intorno a un'idea di santità, la stessa riassunta in una delle lettere del padre che invita a ritrovare un rapporto effettivo con Dio e con la legge. Il racconto si muove in una dimensione spirituale che permea la figura di Ida, a cui è dedicato l'ultimo capitolo: "Appunti per l'agiografia di mia sorella". La condizione di una santità contemporanea, la sua monacazione, viene esemplificata nella figura di questa donna che, prevedendo la propria morte, sceglie di «entrare in Cristo».

Bosio, Laura. *I dimenticati*. Feltrinelli, 1993.
In una città di provincia una ragazza, alla morte del padre, diventa l'amante del suo migliore amico, un secondo padre che le ispira attrazione e ripulsa. Un senso oscuro di emarginazione la induce a una fuga nella metropoli. Dopo altre esperienze sentimentali che segnano la sua lenta maturazione, ritorna alla città d'origine, pronta a ricominciare.

D'Amico, Margherita. *Rane*. Anabasi, 1993.
Martina Bracci è una nuotatrice, specialista nello stile della rana, che sta attraversando il delicato periodo della pubertà. I cambiamenti psico-fisici

dovuti al passaggio dall'infanzia all'adolescenza si rivelano per lei, ranista, particolamente sfavorevoli. A tredici anni, Martina è già un' "anziana" all'interno del gruppo sportivo e la struttura del suo corpo sembra allontanarsi dalla forma più congeniale a questo stile. Ora Martina avverte lo sforzo, la fatica e nel gruppo cominciano ad emergere nuotatrici più giovani e veloci.

FERRANTE, Elena. *L'amore molesto*. E/o, 1992.
Il corpo di Amalia viene ritrovato, privo di vita, in riva al mare nei pressi di Minturno. Delia, la figlia, tenta faticosamente di ricostruire gli ultimi giorni di vita di sua madre. In questo percorso a ritroso nella memoria, attraverso una Napoli plumbea e carica di insidie, alla ricerca delle ragioni di un legame così tragicamente e prematuramente spezzato, Delia giunge a delineare in modo sempre più dettagliato la figura della madre, a far luce su aspetti oscuri della propria infanzia fino ad un imprevedibile epilogo.

GRASSO, Silvana. *Ninna nanna del lupo*. Einausi, 1995.
Storia di una donna siciliana e della sua fedele serva. L'emigrazione in America, nel 1910, il ricovero in un sanatorio, la relazione con un boss, che viene ucciso in un agguato. Il ritorno in Sicilia, nel 1936, in un paese dove spadroneggia un podestà sadico e assassino. I destini della donna e della serva si incroceranno nel segno di una vendetta trasversale che accomuna vittime e carnefici. Sullo sfondo di questo dramma della solitudine, dell'esclusione e dell'abbandono, la sensualità mediterranea, il sesso, gli istinti, i pregiudizi e i riti della terra e della cultura siciliana.

LA SPINA, Silvana. *Scirocco e altri racconti*. La Tartaruga, 1987.
Nel solco della tradizione di Sciascia, mettendo in evidenza l'inquietudine e l'abbandono ad un destino perpetrato come dimensione inalienabile, queste storie costituiscono un "novellario" contemporaneo di trame esemplari cupe e inquietanti, inserite come sono in un contesto barocco che sembra inghiottire e mascherare al contempo i destini individuali, ma anche la realtà di un'intera isola.

Livi, Grazia. *Vincoli segreti.* La Tartaruga, 1994.
In questi racconti, lo sguardo femminile si posa sull'universo maschile per indagare la fragilità dei rapporti e le esistenze inquiete, per capire il senso dell'incomunicabilità, di quell'atteggiamento muto e contraddittorio di un figlio, di un marito o di un fidanzato. Su tutto dominano i silenzi delle donne: una specie di lontananza, ma sempre partecipe.

Mazzantini, Margaret. *Il catino di zinco.* Marsilio, 1996.
La storia di Antenora nel racconto della nipote. La vicenda si snoda nell'arco di tre generazioni: Antenora è dapprima figlia, poi moglie e madre e in ultimo nonna. Questo personaggio femminile che vive nel suo piccolo mondo arcaico, fissato nell'immagine simbolica del catino di zinco, mostra la sua grande forza interiore nelle circostanze drammatiche della guerra, del fascismo e del dopoguerra.

Pariani, Laura. *Il pettine.* Sellerio, 1995.
Le cose che Laura Pariani racconta sono ai margini della storia ufficiale, frammenti, brandelli di storie dimenticate e vaghe. I personaggi dei suoi racconti sono sempre donne: fanciulle contadine di fronte ad aspettative giovanili subito deluse o vecchie sul finire della vita che raccontano la propria storia sullo sfondo di un paesaggio agreste.

Pera, Pia. *La bellezza dell'asino.* Marsilio, 1992.
Cinque racconti sull'arbitrio del desiderio. Diari, lettere, messaggi incisi sulla segreteria telefonica per narrare, con disinvolta ironia, l'eterno gioco delle relazioni amorose, le passioni, gli intrighi sentimentali o l'improvviso svanire dell'infatuazione. Il filo che lega tutti gli episodi è un erotismo solare e giocoso.

Ramondino, Fabrizia. *In viaggio.* Einaudi, 1995.
Tredici frammenti di viaggio, raccontati "on the road", fatti di bagagli a mano, alloggi di fortuna, passaggi in autostop, vecchie Seicento e incontri

con improbabili camionisti. A scandire i ritmi di ogni avventura sono le riflessioni sull'infanzia e il rapporto con la madre, gli amici, i nemici, i libri. I ricordi dell'autrice portano il lettore dall'Argentina alla Cina, dall'India all'Australia. Libro di libri, oltre che libro di viaggi: l'autrice interroga altri scrittori sulle frontiere del narrare e del viaggiare.

RASY, Elisabetta. *Mezzi di trasporto*. Garzanti, 1993.
Protagonisti di questi sette racconti sono i piccoli viaggiatori, ripresi sulla circonvallazione di una grande città o durante un tragitto in treno, alle prese coi bizzarri esemplari delle mille tribù cresciute ai confini del secondo Millennio. Barboni silenziosi, invadenti businessmen, ragazze in fuga, camionisti senza speranza ed extracomunitari impauriti. L'Italia che percorrono è un territorio inquietante dove anche una gita può diventare un incontro con l'ignoto.

SERENI, Clara. *Il gioco dei regni*. Giunti, 1993.
L'autrice ripercorre la vita di tre generazioni della propria famiglia, attraverso i grandi eventi storici di questo secolo: la rivoluzione russa, la prima e la seconda guerra mondiale, i lager nazisti e le prigioni fasciste, lo stalinismo, il sogno sionista. Tra ricostruzione storica e invenzione letteraria, i protagonisti sono ora portatori di utopie, ora vittime di tragedie, ora vincitori, tutti egualmente in grado di esprimere potenti emozioni ed animati da solide motivazioni.

SUSANI, Carola. *Il libro di Teresa*. Giunti, 1995.
Il libro è diviso in otto capitoli che risultano anche otto quadri o grandi scenari, come nella forma dei palinsesti, creati per raccontare una sorta di romanzo familiare che diventa anche il presupposto per una incursione nella forma del sacro e delle sue manifestazioni.

UNA Chi (BIANCHI, Bruna). *Il sesso degli angeli*. ES, 1995.
Romanzo erotico costruito attorno all'ambiguità sessuale dei protagonisti. Una donna lasciata dall'amante sodomita, si traveste da uomo per far inna-

morare un'altra donna, vittima a sua volta di un amante sadico, fino ad avviare un vortice orgiastico che si tinge di sangue.

VOLPI, Marisa. *Congedi.* Giunti, 1995.
Raccolta di racconti sul tema del distacco. Perdite e addii sono rappresentati come rivincite sul caso o irrequieti interrogativi, e su tutti aleggia il senso di destini mai completamente compiuti. Il sentimento amoroso, inteso sia come dedizione, sia come scontro e confronto tra intelligenze, è sempre consumato dal trascorrere inesorabile del tempo.

10. Nero italiano

Eraldo Baldini, *Bambine*
Daniele Brolli, *Animanera*
Pino Cacucci, *Outland rock*
Puerto Escondido
Francesco D'Adamo, *Overdose*
Carlo Lucarelli, *Carta bianca*
Gianfranco Manfredi, *Magia rossa*
Lorenzo Marzaduri, *Clapton*
Stefano Massaron, *Lezioni notturne*
Raul Montanari, *La perfezione*
Andrea G. Pinketts, *Io non io, neanche lui*
Giampiero Rigosi, *Dove finisce il sentiero*
Tiziano Sclavi, *Nero*
Massimiliano Sossella, *La scena è la stessa*
Nicoletta Vallorani, *La fidanzata di Zorro*

Negli anni Ottanta frequentare e scrivere il "romanzo di genere" apre per un gruppo di nuovi scrittori la possibilità di misurarsi su prospettive letterarie inedite. La realtà metropolitana nera, violenta, schizofrenica, rende necessaria una forma di racconto che possa restituire le immagini della realtà nel loro contesto "duro" e impietoso. Così l'hard-boiled, l'investigation e la suspence diventano punti di riferimento e cambiano anche i modelli letterari. Scrittori come Chandler, Woolrich, Scerbanenco e la Highsmith vengono considerati non più solo come giallisti ma scrittori tout court e trovano, ad esempio, in Pier Vittorio Tondelli un appassionato sostenitore che consiglia molti dei loro libri nella rubrica "Culture club" su "Rockstar". Spesso Tondelli parla della sua passione per Scerbanenco, mentre nel 1986, parlando di Patricia Highsmith, racconta un curioso aneddoto: «Un amico tedesco, sapendomi ammiratore incondizionato della scrittrice, mi propose, alcuni anni fa, un giro di birrerie e clubs in cui aveva accompagnato la Highsmith, solo qualche tempo prima, in cerca di tracce e di ambientazioni per le scene berlinesi di *Il ragazzo di Tom Ripley*. La grande signora del giallo aveva allora già superato i sessanta e nonostante questo girò instancabile fino al mattino scarabocchiando i suoi appunti dentro e fuori a ogni bar, a ogni club, a ogni Kneipe. Sinceramente mi piace molto questo modo di vivere il proprio mestiere, questa maniera di prepararsi a entrare nel vivo di un romanzo, facendo sopralluoghi come si dovesse mettere in piedi un film. Mi sembra infatti che abbia a che fare con una visione della scrittura molto artigianale e professionale e invece niente con quell'altra per cui chi scrive dovrebbe pensare e ripensare ai destini universali dell'uomo e del mondo».

Il giallo da semplice romanzo di genere, un po' sottovalutato e considerato sempre come materiale letterario di consumo, ha avuto, tra la fine degli anni Ottanta e l'inizio degli anni Novanta, una forte rivalutazione e, giustamente, un riconoscimento critico, tanto da arrivare a sostituire il romanzo italiano "medio" nell'interesse dei lettori. Merito anche di una nuova generazione di giallisti che si è fatta conoscere in questi anni e che ha cercato di descrivere gli aspetti più "neri" e marginali della società, attraverso romanzi, per niente circoscritti alle formule del "genere". Le inquietudini metropolitane o i disordini della provincia sono espressi nelle pagine dei nuovi giallisti più che nella letteratura tout-court. La stessa cosa avveniva tra la seconda metà degli anni Sessanta e l'inizio degli anni Settanta con Giorgio Scerbanenco, che raccontava con efficacia la fine del "boom economico" e le ragioni del degrado della metropoli milanese.

Proprio Scerbanenco sembra essere uno dei padri indiscussi della nuova generazione di giallisti. Lo sottolinea anche Massimo Carloni nel dettagliato studio *L'Italia in giallo. Geografia e storia del giallo italiano*. Una delle importanti intuizioni di Carloni è l'analisi dello sviluppo del giallo italiano condotta seconda un'ottica di "geografia letteraria". Il riferimento è alla crescita di una narrativa che s'accentra attorno ad una città e sembra definirla nelle sue inquietudini: la Bologna del "Gruppo 13" con Carlo Lucarelli, Lorenzo Marzaduri e Pino Cacucci, tra i suoi esponenti di rilievo; la Milano di Andrea G. Pinketts, di Davide Pinardi, di Ivan della Mea e di Francesco D'Adamo che, per la serie "Nera" dei mondadoriani Oscar Originals, aveva pubblicato *Overdose*.

In questo libro, la Milano degli anni Ottanta, dei Burghy, ma anche del Parco Lambro, di Piazza Udine e dei suoi dintorni, con le collinette dell'eroina e dello spaccio, viene descritta con piglio deciso, grande tensione e una sorta di pietas. Ne esce il volto di una metropoli infuocata da sparatorie, popolata dal lungo peregrinare a vuoto, dolente e disperato dei "tossici". Stefano Di Marino in *Per il sangue versato* (1989) restituisce l'immagine di una metropoli violenta, dura, opprimente. Così la definisce: «Milano, una gabbia, luminescente di insegne e richiami pubblicitari, ma pur sempre un luogo di costrizione. (...) Milano era una città per camaleonti, nella corrente anonima dei due milioni di abitanti si potevano vivere molte vite spesso in contrasto l'una con l'altra».

Il "nero" non è solo la dimensione della Milano funambolica di Andrea G. Pinketts, dove lupi mannari e storie dell'orrore, spesso vicine alla dimensione pulp, si intrecciano a vicende paradossali in una metropoli che non sa più riconoscere il divario tra bene e male ed estremizza entrambi i poli. Il "nero" non è nemmeno solo la Bologna di Carlo Lucarelli e del suo poliziotto Coliandro, sboccato, impiccione e senza scrupoli, coinvolto in storie dal ritmo mozzafiato dove è protagonista la nuova criminalità (mafia di quartiere, naziskin, ultras).

Il "nero" racconta anche la provincia, la Ravenna, con le luci inquietanti delle raffinerie descritte da Eraldo Baldini in *Bambine* (1995). La sua è una provincia dove un velo di calma apparente sembra coprire crudeltà e spietatezze. L'azione ruota intorno ai corpi di tre bambine ritrovati dentro i fossi e i canali: il mistero sembra nascere dall'acqua, così inquieto e così ambiguo. È questa una storia spietata, in cui l'affondo in questa acqua enigmatica equivale a svelare un "nero" interiore dell'anima, in una lotta, spesso vana, con l'inevitabilità del male.

Il giallo italiano tende così a spostarsi verso la sua anima più buia; non si dimentichi a questo proposito l'apporto originale di un grande narratore come Tiziano Sclavi, che riorganizza il "nero" secondo una tecnica postmoderna, tra le più innovative della letteratura di questi anni, e che ha trovato gli esiti migliori, soprattutto in *Dellamorte Dellamore* (1991) e in *Nero* (1992), per la commistione di horror e sarcasmo, finzione e incubo.

Oltre al nero, altri generi s'intrecciano nel percorso degli stessi scrittori. Carlo Lucarelli, ad esempio, esordisce con un'investigazione, *Carta Bianca* (1990) che ricostruisce un capitolo dell'Italia Fascista, quello della Polizia del Regime. Chiaro è il riferimento, sottolineato anche dallo stesso scrittore, a Gadda e al *Pasticciaccio*, anche se la struttura linguistica, in Lucarelli, è totalmente capovolta. La scrittura è piana, concisa, senza smagliature e ben s'addice alla "classica" indagine. I dubbi del commissario De Luca e la sua caparbietà nel voler inseguire la verità di un oscuro omicidio che coinvolge gerarchi, nazisti, spie, danno corpo alla vicenda che è soprattutto un'interrogazione sulla corruzione, sul senso della giustizia e sulla sua pratica.

Lorenzo Marzaduri, in *Sergio Rotino contro Rommel e Adolfo Castracani* (1989), sceglie come scenario la Biennale Giovani di Bologna, la sua confusione, quel ritrovo da "vetrina", nelle giornate invernali del 1988. È un racconto veloce e teso, condito da gag, risse e "spaccamenti", a episodi, nel miglior stile fumettistico, che con sarcasmo e qualche cattiveria inscena storie da nulla di un gruppo di giovani di vari paesi del Mediterraneo, approdati nel capoluogo emiliano. Più significativo rispetto all'hard-boiled, *Rito mortale* (1989), nel quale Marzaduri, in una torbida estate bolognese, dà corpo al personaggio di un investigatore privato, ex-poliziotto, che deve fare i conti con la scomparsa di un collega. Il suo "chi l'ha visto?" entra ben presto nelle spire della follia e del sanguinario, creando un romanzo a suspence di grande efficacia. Infine, con *Clapton* (1990), una vera ondata di violenza invade la pagina e le notti cupe che popolano queste storie noir: fanali che abbagliano, coltelli che compaiono improvvisi, catene, lame che bruciano nella pelle. Tutto diventa allucinazione, immersione in un viaggio al centro del terrore nella Milano dannata, dove risuona uno spazio inquietante e vuoto, dietro al quale possono celarsi oltre alle scelleratezze di David Lynch, anche le urla del testoriano Franco Branciaroli.

Diverso il percorso di Pino Cacucci che esordisce con *Outland Rock* (1988), un libro che infiamma già dalla copertina, sulla quale campeggia il muso di uno scimmione alla King Kong. È proprio lo scimmione ad incuriosire Fellini, ammaliato dal mondo di Cacucci, popolato da uomini perennemente in fuga per sfuggire alla trappola che la realtà sta loro tendendo e a un vuoto troppo atroce da sopportare. Personaggi che vivono alla giornata, sapendo che il non avere futuro o nemmeno il lusso di concedersi la sua illusione è la loro salvezza. *Outland Rock* inscena un manipolo di disperati e di emarginati che, metaforicamente, vogliono lasciarsi alle spalle l'effimero degli anni Ottanta. Cacucci è il narratore della "fuga". Lo conferma in *Puerto Escondido*

(1990) dove il protagonista, per uno scherzo del destino, è ancora un uomo braccato; fugge continuamente anche l'anarchico Jules Bonnot del suo ultimo romanzo, *In ogni caso nessun rimorso* (1994).

Non si può trascurare in questa panoramica sul nero italiano il contributo di Gianfranco Manfredi che, già nel 1983, con *Magia rossa* anticipava temi, atmosfere e registri narrativi ripresi poi negli anni '90 da autori horror e splatter. Con *Trainspotter* (1989), invece, lo scrittore racconta una ipotetica Europa che sembra ansimare tra macerie e miasmi, corrosa da un buio spettrale nel quale la desolazione della distruzione si alza inesorabile. Il quartetto dei protagonisti, ognuno violento a suo modo, agisce allo sbaraglio, in un paesaggio da ultima spiaggia. Ogni scenario sembra nascondere un ipotetico assassino o covare la possibilità di un'efferratezza da perpetrare. *Trainspotter* e ancor più *Il peggio deve venire* (1992) contengono, portati all'estremo, tutti gli elementi già presenti in *Magia rossa*. Il mistero però qui assume una dimensione pura e inquieta, diventando maschera di una realtà sull'orlo della catastrofe.

BALDINI, Eraldo. *Bambine*. Theoria, 1995.
A Ravenna, nei pressi del Porto e della Marina, un misterioso personaggio scatta fotografie alle bambine per la strada e un serial killer le rapisce e le strazia, abbandonando i loro corpi nei fossi nebbiosi vicino al mare. Carlo, giornalista di cronaca in un quotidiano di provincia, si trova suo malgrado a indagare su questi inquietanti delitti. Un romanzo che racconta l'impossibilità di sconfiggere completamente il male.

BROLLI, Daniele. *Animanera*. Baldini & Castoldi, 1994.
I vagabondaggi di una coppia di serial killer, servo e padrone, che pretendono di girare un video a spese delle proprie vittime, si intrecciano più volte con le manovre di un gruppo di balordi impegnati in un rapimento. Sullo sfondo, l'altra faccia di Rimini, riconoscibile anche se mai nominata esplicitamente: la costa romagnola, nella desolazione invernale, è assunta non solo come spaccato dei vizi degli italiani, ma come centro di una degradata sensibilità planetaria.

CACUCCI, Pino. *Outland rock*. Mondadori, 1995.
Un giovane che truffa le vendite per corrispondenza trova per caso sulla terrazza uno strano oggetto a forma di parallelepipedo. Un fanatico di motociclette organizza un giro di scommesse. Un ragazzo, che lavora come guardiano all'ippodromo, assiste involontariamente ad un omicidio in uno stanzino della questura mentre cerca di recuperare il suo passaporto. Un dentista si fa paladino della battaglia millenaria combattuta dagli uomini contro la carie. Tutti questi personaggi vengono coinvolti in improbabili avventure ad altissima tensione.

CACUCCI, Pino. *Puerto Escondido*. Mondadori, 1994.
Mario, giovane sradicato bolognese, è involontario testimone di un omicidio. Scoperto e braccato dall'assassino, inizia una disperata fuga che lo porterà fino in Messico, sulle tracce di una banda di trafficanti internazionali. Conquistato dalla misteriosa Anita e dal giovane Alex, ribelle disincantato che vive di espedienti, Mario si trasformerà, da vittima del caso, in un autentico avventuriero.

D'ADAMO, Francesco. *Overdose*. Mondadori, 1990.
Attraverso un linguaggio duro rivivono le notti di una Milano preda di spacciatori, drogati, senegalesi, travestiti. Sono notti in cui ogni paura è repressa, nonostante la violenza dei killer e dei teppisti in agguato. Con un'ossessione: restare senza eroina e per questo arrivare a tutto, fino all'overdose.

LUCARELLI, Carlo. *Carta bianca*. Sellerio, 1990.
Negli ultimi giorni della repubblica di Salò, un commissario indaga su un omicidio avvenuto nei quartieri alti, dietro il quale si nasconde un traffico finanziario e spionistico fra regime e nazisti. Sullo sfondo, la corruzione di una classe dirigente dai giorni contati e la precarietà del diritto, cui dittature e totalitarismi offrono un facile terreno.

MANFREDI, Gianfranco. *Magia rossa*. Mondadori, 1992.
La realtà quotidiana milanese si trasforma in un incubo fantastico. Alberto, Mario e Marisa, vecchi compagni di studio con un'intricata vicenda sentimentale alle spalle, si ritrovano a distanza di tempo. Alberto, storico di professione, parla di Tommaso Reiner e Mario finisce ben presto per identificarsi con lui. La vita dei tre, e quella di un'intera città, sarà così sconvolta dall'irrompere di qualcosa di misterioso e terrificante.

MARZADURI, Lorenzo. *Clapton*. Transeuropa, 1995.
Una raccolta di racconti "noir" sulla gioventù violenta, tra Bologna e Milano, che consuma se stessa in aggressioni, pestaggi e riti gratuiti. Nella notte, a sottolineare l'inquietudine, compaiono fanali che abbagliano, coltelli che rifulgono improvvisi, catene, lame che bruciano sulla pelle, seguendo il ritmo di un tempo urbano escoriato dalle sue contraddizioni.

MASSARON, Stefano. *Lezioni notturne*. Granata Press, 1994.
Raccolta di racconti, dove l'elemento fantastico/misterioso stravolge la normalità del quotidiano: malumori condominiali degenerano in un feroce assassinio che rompe la falsa cordialità di un incontro in ascensore, la vita da caserma con la sua monotonia diventa improvvisamente patologia, i dissapori e le piccole ingiustizie negli uffici, la ribellione o la sorprendente apparizione di un serial killer angelico e adolescente conferiscono alle storie un andamento inaspettato.

MONTANARI, Raul. *La perfezione*. Feltrinelli, 1996.
"Lui non aveva paura della morte, non aveva paura di niente". Killer implacabile con l'hobby della pesca, Willy l'Olandese arriva al lago prealpino, meta abituale delle sue vacanze. Poco lontano un giovane dal volto sfigurato, in seguito ad un incidente che ha distrutto la sua famiglia, riceve l'ordine che lo trasformerà in uno spietato assassino. Fra queste due differenti incarnazioni del male, Adriana, sensuale cameriera, diventa inconsapevole strumento del destino.

PINKETTS, Andrea G. *Io non io, neanche lui.* Feltrinelli, 1996.
Raccolta di racconti, uniti dal filo rosso di ipotetiche sedute con un'analista transazionale. Per ogni seduta un racconto, dove sono protagonisti nani, serial killer, premi nobel affamati, licantropi, vedove malandrine e golem assassini. Storie noir di ambientazione metropolitana che a volte sconfinano nell'horror, sempre percorse da una vena comico-satirica e surreale dove non mancano giochi linguistici e nonsense.

RIGOSI, Giampiero. *Dove finisce il sentiero.* Theoria, 1995.
Un blues metallico per raccontare la storia di un'amicizia, di una fuga e di una possibile via d'uscita. Un ragazzo comune, con un lavoro fisso ma insoddisfacente, si lascia coinvolgere in un'avventura sconclusionata da Alberto, irregolare, irrequieto, sempre sopra le righe. Sembra la continuazione dei giochi e degli eccessi dell'adolescenza ma il gioco si fa subito pesante. Braccati da una gang di balordi e dalla polizia, i due amici per la pelle fuggono verso sud e il racconto diventa un lungo flashback prima della fine.

SCLAVI, Tiziano. *Nero.* Rizzoli, 1994.
Romanzo horror, metafora della nuova civiltà urbana senza identità e progetti. Due amanti diabolici — lui un patetico visionario, lei una vamp svagata — sono coinvolti in una girandola di torbidi eventi: delitti, sparizioni di corpi, ricatti, regolamenti di conti, furti. Entrambi si ritrovano alle prese con un padre e una madre destinati a finire male, un investigatore che organizza trame oscure, un boss malavitoso, un poliziotto ambiguo e vari teppisti.

SOSSELLA, Massimiliano. *La scena è la stessa.* Marcos y Marcsos, 1996.
"All'alba del giorno in cui diventò un assassino, Riccardo Detmer fece un sogno". È questo l'incipit di un noir ambientato nel mondo dell'advertising che si tinge di horror, scandito da una scrittura essenziale e veloce che evoca scenari da Shakespeare/King. È il giorno dell'inaugurazione della nuova ipertecnologica sede della Hacker Platt, grande agenzia pubblicitaria milanese, e, senza sospettarlo, segretarie e account, creativi e manager si ritrova-

no attori inconsapevoli di una recita percorsa da presagi strani, misteriose sparizioni, inquietanti suicidi e inspiegabili alterazioni della personalità.

VALLORANI, Nicoletta. *La fidanzata di Zorro*. Marcos y Marcos, 1996. Una spazzina bulimica arrotonda lo stipendio lavorando per un'agenzia investigativa: deve indagare sull'omicidio dell'inventore della bilancia che pesa l'essenziale. Le fanno da cornice una girandola di personaggi stravaganti e paradossali, tutti dotati di grande umanità, tra i quali tre nipotine pestifere, un giovane barbone genio dell'informatica, un enigmatico extracomunitario. Sullo sfondo, una Milano multietnica e degradata e un mondo accademico che pare sprofondare nei rifiuti ben più delle vie della città.

CATALOGO BIBLIOGRAFICO

Nuova narrativa italiana
1975-1996
Catalogo Bibliografico

1) GLI SCRITTORI. Le bibliografie degli autori italiani più significativi, per tematiche e scelte stilistiche coerenti con l'idea di nuova narrativa, che hanno esordito dalla metà degli anni Settanta ad oggi. La selezione è limitata alle sole opere di narrativa; salvo rare eccezioni, sono stati esclusi i testi di poesia, di teatro e di narrativa per ragazzi. Le informazioni bibliografiche sono state tratte da "Alice cd", dal Catalogo collettivo del Sistema Bibliotecario Milano-Est, dai cataloghi editoriali e da alcune collezioni private. Le schede bibliografiche si riferiscono alle edizioni più recenti; in nota le edizioni precedenti.

2) LE ANTOLOGIE E I NUMERI MONOGRAFICI DELLE RIVISTE. La sezione comprende le antologie relative ai nuovi narratori italiani, pubblicate tra il 1980 e il 1996. Insieme alle informazioni bibliografiche sono indicati anche i nomi di tutti gli autori che compaiono nelle antologie. Per una maggior completezza sono segnalati anche alcuni numeri monografici di riviste la cui struttura è simile a quella dell'antologia o del volume collettivo.

3) IL MESTIERE DI SCRITTORE. In questa breve sezione sono raccolte le segnalazioni dei testi relativi alla riflessione sul fare letterario o sul mestiere di scrittore. Si tratta, essenzialmente, di conversazioni o di interventi di alcuni autori presenti nel catalogo.

4) LA CRITICA. In questa sezione si propone una scelta delle monografie dedicate alla nuova narrativa e alcuni volumi che contengono ampi saggi sull'argomento.

Il catalogo bibliografico è aggiornato al 30 agosto 1996.

Gli scrittori

ABATE, Carmine. *Il ballo tondo.* Marietti, 1991.
Il muro dei muri. Argo, 1993.
ABBATE, Fulvio. *Zero maggio a Palermo.* Theoria, 1990.
Oggi è un secolo. Theoria, 1992.
Capo d'Orlando. Un sogno fatto in Sicilia. Theoria, 1993.
Dopo l'estate. Bompiani, 1995.
ACCATI, Luisa. *Il matrimonio di Raffaele Albanese.* Anabasi, 1994.
AFFINATI, Eraldo. *Veglia d'armi. L'uomo di Tolstoj.* Marietti, 1992.
Soldati nel 1956. Marco Nardi, 1993.
Bandiera bianca. Mondadori, 1995.
AITA, Paolo. *Le voci dei mestieri.* Manni, 1995.
ALBERTAZZI, Silvia. *Scuola di scrittura.* Marsilio, 1996.
ALBINATI, Edoardo. *Arabeschi della vita morale.* Longanesi, 1988.
Il polacco lavatore di vetri. Longanesi, 1989.
La comunione dei beni. Giunti, 1995.
ALLAMPRESE, Luciano. *Strane conversazioni con le donne.* Mondadori, 1989.
ALTIERI, Sergio. *Alla fine della notte.* Dall'Oglio, 1981.
Città oscura. Dall'Oglio, 1981.
L'occhio sotterraneo. Dall'Oglio, 1983.
Corridore nella pioggia. Dall'Oglio, 1986.
L'uomo esterno. Mondadori, 1989.
AMMANITI, Niccolò. *Branchie!* Ediesse, 1994.
Fango. Mondadori, 1996.
AMMANITI, Niccolò - AMMANITI, Massimo. *Nel nome del padre.*
Mondadori, 1995.
ANGELINO, Edoardo. *L'inverno dei mongoli.* Einaudi, 1995.
ANGELINO, Luciano. *Salvataggio terminale.* Costa & Nolan, 1986.
Zecchinetta. Leonardo, 1990.
ANGELUCCI, Annalisa. *La sciagurata.* Baldini & Castoldi, 1995.
ANGIONI, Giulio. *Il sapere della mano.* Sellerio, 1986.
L'oro di Fraus. Editori Riuniti, 1988.
Il sale sulla ferita. Marsilio, 1990.

Una ignota compagnia. Feltrinelli, 1992.
ANTONAROS, Alfredo. *Tornare a Carobel.* Feltrinelli, 1984.
Mahò. Storia di cinema e di petrolio. Feltrinelli, 1987.
Per Sara. Feltrinelli, 1989.
Alfredo. Moto a luogo. Pendragon, 1994.
ARACHI, Alessandra. *Briciole. Storie di un'anoressia.* Feltrinelli, 1994.
Leoncavallo blues. Feltrinelli, 1995.
ARDEN, Joe (Arduini, Giovanni). *Maniax.* Sperling & Kupfer, 1995.
ARESI, Paolo. *Toshi si sveglia nel cuore della notte.* Granata Press, 1995.
ARMUZZI, Gino. *Sognavo di essere Bukowski.* Comix/Sperling & Kupfer, 1994.
ARPAIA, Bruno. *I forestieri.* Leonardo, 1990.
Il futuro in punta di piedi. Donzelli, 1994.
ASTUTI, Domenico. *Pulque.* Mobydick, 1996.
ATZENI, Sergio. *Araj dimoniu. Antica leggenda sarda.* Le Volpi, 1984.
Apologo del giudice bandito. Sellerio, 1986.
Il figlio di Bakunìn. Sellerio, 1991.
Il quinto passo è l'addio. Mondadori, 1994.
Passavamo sulla terra leggeri. Mondadori, 1996.
AUGIAS, Corrado. *Quel treno da Vienna.* Rizzoli, 1981.
Il fazzoletto azzurro. Rizzoli, 1983.
L'ultima primavera. Rizzoli, 1985.
Una ragazza per la notte. Rizzoli, 1992.
Una manciata di fango. Rizzoli, 1993.
Telefono giallo. Sette delitti quasi perfetti. Mondadori, 1993.
Quella mattina di luglio. Rizzoli, 1995.
AVALLI, Ippolita. *Aspettando Ketty.* Feltrinelli, 1982.
L'infedele. Rizzoli, 1988.
Non voglio farti male. Garzanti, 1991.
BACCI, Marco. *Il pattinatore.* Mondadori, 1986.
Settimo cielo. Rizzoli, 1988.
La fidanzata cinese. Leonardo, 1991.
Il bianco perfetto della neve. Leonardo, 1991.
BALDINI, Eraldo. *Bambine.* Theoria, 1995.
BALDUINO, Armando. *Singoli e coppie.* Vallecchi, 1987.
La donna dello schermo. Vallecchi, 1989.

La decisione. Marsilio, 1994.

BALLESTRA, Silvia. *Compleanno dell'iguana.* Transeuropa/Mondadori, 1991.

La guerra degli Antò. Transeuropa/Mondadori, 1992.

Il giovane Megadeath. Transeuropa, 1995.

BARAVELLE, Roberto. *Sold-out. Tutto venduto.* Rusconi, 1990.

BARBARO, Paolo. *Malalali.* Spirali, 1984.

BARBERO, Alessandro. *Bella vita e guerre altrui di Mr. Pyle, gentiluomo.* Mondadori, 1995.

BARBOLINI, Roberto. *La chimera e il terrore.* Jaca Book, 1984.

La gabbia a pagoda. Franco Cesati, 1986.

Il detective sublime. Theoria, 1988.

La strada fantasma. Garzanti, 1991.

La fine di Dracula. Polistampa, 1993.

Il punteggio di Vienna. Rizzoli, 1995.

BARBOLINI, Roberto - TOMMASI, Silvia. *Paperhell. Carte infernali.* Transeuropa, 1991.

BARBUJANI, Guido. *Dilettanti.* Marsilio, 1994.

BARICCO, Alessandro. *Castelli di rabbia.* Rizzoli, 1991.

Oceano mare. Rizzoli, 1993.

Seta. Rizzoli, 1996.

BARILLI, Davide. *La fascia del turco.* Casanova, 1989.

BARLASSINA, Pietro. *I turchi, finalmente!* Città armoniosa, 1991.

BARONI, Giancarlo. *Irene, Irene.* Mobydick, 1992.

Gli amici di Magnus. Mobydick, 1996.

BATTISTELLI, Fabrizio. *Il conclave.* Einaudi, 1991.

Riziero e il collegio invisibile. Garzanti, 1995.

BATTISTI, Cesare. *Travestito da uomo.* Granata Press, 1993.

BATTISTINI, Giovanni. *Il fratello di Elena.* Feltrinelli, 1989.

Il tè e le arti marziali. Frassinelli, 1991.

BAUDINO, Mario. *Il grande rifiuto.* Longanesi, 1991.

In volo per affari. Rizzoli, 1994.

BECCATI, Lorenzo. *La notte dei commercialisti viventi.* Baldini & Castoldi, 1994.

BELARDETTI, Margherita. *Quel leggero sottofondo violetto.* Anabasi, 1993.

Passioni fredde. Anabasi, 1995.

BELLEZZA, Dario. *Lettere da Sodoma.* Garzanti, 1972.

Il carnefice. Garzanti, 1973.

Angelo. Garzanti, 1979.

Storia di Nino. Mondadori, 1982.

Turbamento. Mondadori, 1984.

L'amore felice. Rusconi, 1986.

Nozze col diavolo. Marsilio, 1995.

BELPOLITI, Marco. *Confine. Vite immaginarie del clown.* Elitropia, 1986.

Quanto basta. Rusconi, 1989.

Italo. Sestante, 1995.

BENASSI, Marco. *L'ultima estate di un saltimbanco.* Sipiel, 1986.

BENNATO, Antonio. *I santi li ho tirati giù dal Paradiso.* Mondadori, 1988.

BENNI, Stefano. *I meravigliosi animali di Stranalandia.* Feltrinelli, 1984.

Terra! Feltrinelli, 1991.

Ed. precedente: 1983.

Comici spaventati guerrieri. Feltrinelli, 1991.

Ed. precedente: 1986.

Il bar sotto il mare. Feltrinelli, 1991.

Ed. precedente: 1988.

Baol. Una tranquilla notte di regime. Feltrinelli, 1992.

Ed. precedente: 1991.

La compagnia dei Celestini. Feltrinelli, 1994.

Ed. precedente: 1992.

L'ultima lacrima. Feltrinelli, 1994.

Elianto. Feltrinelli, 1996.

BERGONZONI, Alessandro. *Motivi di soddisfazione accampati nel deserto.* Lupetti, 1992.

Le balene restino sedute. Mondadori, 1993.

Ed. precedente: 1989.

È già mercoledì e io no. Mondadori, 1994.

Ed. precedente: 1992.

Il grande Fermo e i suoi piccoli Andirivieni. Garzanti, 1995.

BERTOLA, Stefania. *La luna di Luxor.* Longanesi, 1989.

BERTOLI, Giuliana. *Una vasta distesa bianca.* Mondadori, 1996.

BERTONE, Giorgio. *Il diario del viaggio.* Marietti, 1990.

BETTIN, Gianfranco. *Sarajevo, maybe.* Feltrinelli, 1994.
Qualcosa che brucia. Baldini & Castoldi, 1995.
Ed. precedente: Garzanti, 1989.
BETTO, Filippo. *Certi giorni sono migliori di altri giorni.* Marcos y Marcos, 1996.
BIANCHI, Matteo. *Non si può fare il bagno con queste troie di onde.* Stampa Alternativa, 1993.
BIANCHI RIZZI, Augusto. *Figlio unico di madre vedova.* Tranchida, 1993.
BIGONGIALI, Athos. *Una città proletaria.* Sellerio, 1989.
Avvertimenti contro il mal di terra. Sellerio, 1990.
Veglia irlandese. Sellerio, 1993.
Le ceneri del Che. Giunti, 1996.
BIZZOLI, Gianmarco - LAVAGNA, Giorgio. *Sim - baby 1.0.* Phoenix, 1994.
BOFFO, Titti. *Senza mani.* La Tartaruga, 1995.
BOMPIANI, Ginevra. *La specie del sonno.* Franco Maria Ricci, 1975.
Lo spazio narrante. La Tartaruga, 1978.
Mondanità. La Tartaruga, 1980.
L'incantato. Garzanti, 1987.
Vecchio cielo, nuova terra. Garzanti, 1988.
L'attesa. Feltrinelli, 1988.
Tempora. Anabasi, 1993.
L'orso maggiore. Anabasi, 1994.
BONADIMANI, Roberto. *Cittadini dello spazio.* Nord, 1977.
Rosa di stelle. Nord, 1978.
I signori dei sogni. Nord, 1984.
BONSI, Giovanna. *La brigata dell'Apocalisse.* Nord, 1992.
BONURA, Giuseppe. *Il segreto di Alias.* Editrice Nuova, 1984.
La vita astratta. Mondadori, 1987.
I satiri virtuosi. Camunia, 1989.
I costruttori di ombre - Meloe. AGE, 1991.
I custodi del silenzio. Rizzoli, 1992.
BORGHESI, Marco V. *La questione dell'orizzonte.* Bollati Boringhieri, 1991.
Doppio Animale. Bollati Boringhieri, 1994.
BORGIA, Sandro. *Una questione di stile.* Stampa Alternativa, 1993.
BORIA, Diana - FERMANI, Federica. *Dumbar, il pesce volante.* Mondadori, 1995.

Borsani, Ambrogio. *L'ellisse di fuoco*. Bompiani, 1980.

Storie contro storie. Sperling & Kupfer, 1996.

Bosio, Laura. *I dimenticati*. Feltrinelli, 1993.

Brancher, Bruno. *Il potente a pezzi*. Milano Libri, 1979.

Lezioni di ballo. Corpo 10, 1986.

Eh? Pensionato de' Saraceni, 1989.

Tre monete d'oro. Feltrinelli, 1992.

Una bellissima storia d'amore. La Vita Felice, 1994.

Disamori vecchi e nuovi. Feltrinelli, 1995.

Ed. precedente con il tit.: *Disamori*. Squi/libri, 1977.

Cuore di Bruno. La Vita Felice, 1996.

Brindisi, Rocco. *Racconti liturgici*. Sestante, 1993.

Brizzi, Enrico. *Jack Frusciante è uscito dal gruppo*. Mondadori, 1996.

Ed. precedenti: Transeuropa, 1994. Baldini & Castoldi, 1995.

Cousin Jerry back in town. Baldini & Castoldi, 1996.

Brolli, Daniele. *Animanera*. Baldini & Castoldi, 1994.

Segrete identità. Baldini & Castoldi, 1996.

Brolli, Daniele - Baldazzini, Roberto. *Trans/est. Le avventure di Marta. Vol 1*. Phoenix, 1994.

Bruno, Vito. *Cirlè e altri racconti*. Feltrinelli, 1995.

Bugaro, Romolo. *Indianapolis*. Transeuropa, 1993.

Buschi, Alessandra. *Dire fare baciare*. Il lavoro editoriale, 1990.

Busi, Aldo. *Una pioggia angelica*. L'Obliquo, 1987.

Pazza. Bompiani, 1990.

Vita standard di un venditore provvisorio di collant. Mondadori, 1991.

Ed. precedente: 1985.

Altri abusi. Viaggi, sonnambulismi e giri dell'oca. Leonardo, 1991.

Ed. precedente: 1989.

La delfina bizantina. Mondadori, 1992.

Ed. precedente: 1987.

Manuale del perfetto gentiluomo. Sperling & Kupfer, 1992.

Il cortigiano da un italiano all'altro. Rizzoli, 1993.

Sentire le donne. Bompiani, 1993.

Ed. precedente: 1991.

Vendita galline km 2. Mondadori, 1993.

Seminario sulla gioventù. Mondadori, 1994.
Ed. precedente: Adelphi, 1986.
Sodomie in corpo 11. Mondadori, 1994.
Ed. precedente: 1988.
Le persone normali (La dieta di Uscio). Mondadori, 1994.
Ed. precedente: 1992.
Manuale della perfetta gentildonna. Sperling & Kupfer, 1994.
Cazzi e canguri (pochissimi i canguri). Frassinelli, 1994.
Madre Asdrubala. All'asilo si sta bene e s'imparan tante cose. Mondadori, 1995.
Grazie del pensiero. Mondadori, 1995.
La vergine Alatiel. Mondadori, 1995.
Suicidi dovuti. Frassinelli, 1996.
CACUCCI, Pino. *Jim*. Granata Press, 1991.
Punti di fuga. Mondadori, 1992.
Forfora e altri racconti. Granata Press, 1993.
Puerto Escondido. Mondadori, 1994.
Ed. precedente: Interno Giallo, 1990.
Gino Mastrucci investigatore pubblico. Phoenix, 1994.
Outland rock. Mondadori, 1995.
Ed. precedente: Transeuropa, 1988.
San Isidro futbol. Granata Press, 1995.
Ed. precedente: Metrolibri, 1991.
La polvere del Messico. Feltrinelli, 1996.
Ed. precedente: Mondadori, 1992.
In ogni caso nessun rimorso. Tea, 1996.
Ed. precedente: Longanesi, 1994.
Camminando. Feltrinelli, 1996.
CACUCCI, Pino - CORICA, Gloria. *Tobacco*. Granata Press, 1993.
CAGNONI, Fiorella. *Questioni di tempo*. La Tartaruga, 1985.
Incauto acquisto. La Tartaruga, 1992.
Quattro gatti. Zelig, 1995.
CALICETI, Giuseppe. *Fonderia Italghisa*. Marsilio, 1996.
CAMARCA, Claudio. *Sottoroma*. Quaderni Pasolini, 1989.
Il sole è innocente. Garzanti, 1992.

Ordine pubblico. Baldini & Castoldi, 1996.

CAMPAILLA, Sergio. *Il paradiso terrestre*. Rusconi, 1988.

Voglia di volare. Rusconi, 1990.

Domani domani. Rusconi, 1992.

Il carnevale della luna e altri racconti. Nuova Cultura, 1994.

CAMPALANI, Francesca. *Zac*. Es, 1995.

CAMPO, Rossana. *In principio erano le mutande*. Feltrinelli, 1994.
Ed. precedente: 1992.

Il pieno di super. Feltrinelli, 1995.
Ed. precedente: 1993.

Mai sentita così bene. Feltrinelli, 1996.
Ed. precedente: 1995.

CANESTRINI, Duccio. *La salamandra*. Rizzoli, 1985.

Il supplizio dei tritoni. Baldini & Castoldi, 1994.

CANOBBIO, Andrea. *Vasi cinesi*. Einaudi, 1989.

Traslochi. Einaudi, 1992.

CANTAFORA, Arduino. *Le stagioni delle case*. Kappa, 1980.

Quindici stanze per una casa. Einaudi, 1988.

CAPPELLI, Gaetano. *Floppy disk*. Marsilio, 1988.

Febbre. Mondadori, 1989.

Mestieri sentimentali. Frassinelli, 1991.

Volare basso. Frassinelli, 1994.

Errori. Mondadori, 1995.

CAPRIOLO, Paola. *La grande Eulalia*. Feltrinelli, 1991.
Ed. precedente: 1989.

Il nocchiero. Feltrinelli, 1991.
Ed. precedente: 1989.

Il doppio regno. Bompiani, 1993.
Ed. precedente: 1991.

Vissi d'amore. Bompiani, 1995.
Ed. precedente: 1992.

La spettatrice. Bompiani, 1995.

Un uomo di carattere. Bompiani, 1996.

CARABBA, Enzo Fileno. *Jacob Pesciolini*. Einaudi, 1992.

La regola del silenzio. Einaudi, 1994.

CARACCIOLO, Enrichetta. *Misteri del chiostro napoletano*. Giunti, 1991.

CARACCIOLO, Pietro. *Nel segno del serpente*. Nord, 1991.

CARBONE, Fabrizio. *Reporter verde*. E/o, 1993.

Racconti di acqua e di neve. E/o, 1993.

I gironi infernali dell'Amazzonia. Theoria, 1993.

La regina delle tonnare. Ti-Scrivo, 1994.

CARBONE, Rocco. *Agosto*. Theoria, 1993.

Il comando. Feltrinelli, 1996.

CARDELLA, Lara. *Intorno a Laura*. Mondadori, 1991.

Fedra se ne va. Mondadori, 1992.

Volevo i pantaloni. Mondadori, 1994.

Ed. precedente: 1989.

Una ragazza normale. Mondadori, 1995.

Ed. precedente: 1994.

Volevo i pantaloni 2. Mondadori, 1995.

CARIFI, Roberto. *Infanzia*. Prova d'autore, 1984.

Le rovine del nulla. Cesati, 1984.

Nome di donna e altri racconti. Nuova Compagnia, 1993.

CARLETTI, Luigi. *Una traccia nella palude*. Baldini & Castoldi, 1996.

CARLOTTO, Massimo. *Il fuggiasco*. E/o, 1994.

La verità dell'alligatore. E/o, 1995.

CARPI, Anna Maria. *Racconto di gioia e di nebbia*. Il Saggiatore, 1995.

E sarai per sempre giovane. Bollati Boringhieri, 1996.

CARPI, Pier. *Un'ombra nell'ombra*. Nord, 1978.

CARRARO, Andrea. *A denti stretti*. Gremese, 1990.

Il branco. Theoria, 1994.

L'erba cattiva. Giunti, 1996.

CASIRAGHI, Alberto. *Pericoli indispensabili*. La Vita Felice, 1994.

CASTELLANI, Leonardo. *Origami*. Empiria, 1990.

Stella di fumo. Amadeus, 1995.

CATELLI, Giovanni. *In fondo alla notte*. Solfanelli, 1992.

Partenze. Solfanelli, 1994.

CAVAZZONI, Ermanno. *Le tentazioni di Girolamo*. Bollati Boringhieri, 1991.

I sette cuori. Bollati Boringhieri, 1992.

Un anno di peccato e i sette vizi capitali. Panini, 1993.

Vite brevi di idioti. Feltrinelli, 1994.

Il poema dei lunatici. Feltrinelli, 1996.

Ed. precedente: Bollati Boringhieri, 1987.

CAVE, Emma. *Il sorriso di Castalia.* La Tartaruga, 1994.

CAVICCHI, Ivan. *Interlunio.* Datanews, 1993.

CELATI, Gianni. *Comiche.* Einaudi, 1971.

La banda dei sospiri. Einaudi, 1976.

La farsa dei tre clandestini. Un adattamento dai Marx brothers. Baskerville, 1987.

Parlamenti buffi. Feltrinelli, 1989.

Quattro novelle sulle apparenze. Feltrinelli, 1990.

Ed. precedente: 1987.

Narratori delle pianure. Feltrinelli, 1991.

Ed. precedente: 1986.

Verso la foce. Feltrinelli, 1992.

Ed. precedente: 1989.

Le avventure di Guizzardi. Feltrinelli, 1994.

Ed. precedente: Einaudi, 1973.

L'Orlando innamorato raccontato in prosa. Einaudi, 1994.

Lunario del paradiso. Feltrinelli, 1996.

Ed. precedente: Einaudi, 1978.

CELI, Lia. *Boia per signora.* Sperling & Kupfer, 1995.

CELLA, Letizia. *La voglia di Pietro.* Mondadori, 1988.

CERAMI, Vincenzo. *Amorosa presenza.* Garzanti, 1978.

Tutti cattivi. Garzanti, 1981.

Ragazzo di vetro. Garzanti, 1983.

La lepre. Garzanti, 1988.

L'ipocrita. Einaudi, 1991.

La gente. Einaudi, 1993.

Un borghese piccolo piccolo. Einaudi, 1995.

Ed. precedenti: Garzanti, 1978, 1988.

CERAMI, Vincenzo - BENIGNI, Roberto. *Johnny Stecchino.* Theoria, 1991.

Il mostro. Tea, 1995.

Ed. precedente: Longanesi, 1994.

CESARE, Nuccia. *Amori a braccio.* La Luna, 1986.

CESARI, Severino. *Storie per quattro giornate*. Sellerio, 1989.

CHIAPPELLI, Maria. *L'oca minore*. Giunti, 1996.

CHIERICI, Maurizio. *Quel delitto in casa Verdi*. Baldini & Castoldi, 1991.
Ed. precedente: Rizzoli, 1982.

Tropico del cuore. Baldini & Castoldi, 1994.

CIANCI, Elisabetta. *Un'infanzia*. Anabasi, 1995.

CIARALLO, Giuseppe. *Racconti per sax tenore*. Tranchida, 1994.

CICCHETTI, Bernardo. *Lo specchio di Atlante*. Fanucci, 1991.

CIONI, Marcella. *La corimante*. Sellerio, 1993.

Il narciso di Rembrandt. Sellerio, 1993.

CLERICI, Gianni. *I gesti bianchi*. Baldini & Castoldi, 1995.

COHEN, Maurizio. *La gabbia*. Marsilio, 1988.

Novanta. Mondadori, 1990.

COLLURA, Matteo. *Associazione indigenti*. Einaudi, 1979.

Baltico. Reverdito, 1988.

COLORETTI, Mario. *Dietro la luce*. Mondadori, 1992.

COMASTRI MONTANARI, Danila. *Mors tua*. Mondadori, 1990.

In corpore sano. Mondadori, 1991.

Cave canem. Mondadori, 1992.

Morituri te salutant. Mondadori, 1994.

Vacanze romane. Mondadori, 1994.

Ricette per un delitto. Periplo, 1995.

La campana dell'arciprete. Saga contadina con delitto. Garzanti, 1996.

COMENCINI, Cristina. *Le pagine strappate*. Feltrinelli, 1991.

Passione di famiglia. Feltrinelli, 1996.
Ed. precedente: 1994.

COMOLLI, Giampiero. *La foresta intelligente*. Cappelli, 1981.

Le sette storie doppie. Theoria, 1986.

Alle porte del vuoto. Theoria, 1988.

Il banchetto nel bosco. Theoria, 1990.

Il suono del mondo. Theoria, 1991.

Risonanze. Theoria, 1993.

CONTARDI, Gabriele. *Navi di carta*. Einaudi, 1990.

Lettere da Alamo. Shakespeare & Company, 1995.

CONTE, Giuseppe. *Primavera incendiata*. Feltrinelli, 1980.

Equinozio d'autunno. Rizzoli, 1987.

Le stagioni. Rizzoli, 1988.

I giorni della nuvola. Rizzoli, 1990.

Fedeli d'amore. Rizzoli, 1993.

L'impero e l'incanto. Rizzoli, 1995.

Le voci del bosco. Rizzoli, 1995.

CONTI, Guido. *Della pianura e del sangue*. Guaraldi, 1995.

Sotto la terra il cielo. Guaraldi, 1996.

CONTI, Luca. *Interail*. Stampa Alternativa, 1991.

Guard-rail. Stampa Alternativa, 1993.

CORDELLI, Franco. *Procida*. Garzanti, 1973.

Le forze in campo. Garzanti, 1979.

I puri spiriti. Rizzoli, 1982.

Pinkerton. Mondadori, 1986.

L'Italia di mattina. Leonardo, 1990.

Guerre lontane. Einaudi, 1990.

Scipione l'italiano. Gremese, 1991.

Diderot Dondero. Fondo Pasolini, 1993.

Arancio. Sottotraccia, 1994.

CORREALE, Giampaolo. *Senza colpo ferire*. Einaudi, 1993.

CORRIAS, Pino. *Inverno*. Savelli, 1979.

Vita agra di un anarchico. Baldini & Castoldi, 1996.

Ed. precedente: 1993.

CORSO, Carla - LANDI, Sandra. *Ritratto a tinte forti*. Giunti, 1991.

COSTA, Francesco. *Uno specchio nel diluvio*. Biblioteca del Vascello, 1995.

La volpe a tre zampe. Baldini & Castoldi, 1996.

COTRONEO, Roberto. *Se una mattina d'estate un bambino*. Frassinelli, 1994.

Presto con fuoco. Mondadori, 1995.

COTTI, Andrea. *Fuori piove*. Beta, 1994.

Rapidi appunti. Nuovi autori, 1995.

Tre. Bollati Boringhieri, 1996.

COVACICH, Mauro. *Colpo di lama*. Neri Pozza, 1995.

COVITO, Carmen. *La bruttina stagionata*. Bompiani, 1995.

Ed. precedente: 1992.

Del perché i porcospini attraversano la strada. Bompiani, 1995.

166

CROSIO, ENZO. *Ferlinghetti Bar.* Aelia Laelia, 1986.
CULICCHIA, Giuseppe. *Tutti giù per terra.* Garzanti, 1996.
Ed. precedente: 1994.
Paso doble. Garzanti, 1996.
Ed. precedente: 1995.
CURTONI, Matteo. *Horroresque.* Rangoni, 1994.
CUTRUFELLI, Maria Rosa. *La briganta.* La Luna, 1990.
Complice il dubbio. Interno Giallo, 1992.
Canto al deserto. Longanesi, 1994.
D'ADAMO, Francesco. *Overdose.* Mondadori, 1990.
DAL BOSCO, Francesco. *Sotto la luce elettrica.* Book, 1993.
DAMIANI, Luca. *Guardati a vita.* Marsilio, 1990.
Una, fatale. Marsilio, 1992.
Che ne sarà di lei. Loggia De Lanzi, 1994.
D'AMICIS, Carlo. *Piccolo venerdì.* Transeuropa, 1995.
D'AMICO, Margherita. *Rane.* Anabasi, 1993.
D'ARIA, Pina. *Flatline romance. Storie di realtà virtuali in un mondo.*
Synergon, 1993.
Ucronia techno-glad. Synergon, 1994.
We live in a list. Stampa Alternativa, 1995.
D'AVACK, Massimo. *Si sa dov'è il cuore.* Rusconi, 1986.
DAZZI, Michela. *Sull'orlo della luna.* Tranchida, 1992.
DAZZI, Michela. *I colori della notte.* Tranchida, 1993.
DE ANGELIS, Bruno. *Una partita afgana.* Vivalda, 1994.
DE BEAUMONT, Gaia. *Collezione privata.* Rizzoli, 1981.
Un venditore d'inchiostro. Frassinelli, 1983.
Bella. Frassinelli, 1985.
Care cose. Frassinelli, 1987.
Ghiaia. Marsilio, 1996.
DE CARLO, Andrea. *Treno di panna.* Einaudi, 1981.
Uccelli da gabbia e da voliera. Einaudi, 1982.
Macno. Bompiani, 1987.
Ed. precedente: 1984.
Tecniche di seduzione. Bompiani, 1993.
Ed. precedente: 1991.

Arcodamore. Bompiani, 1995.
Ed. precedente: 1993.
Due di due. Mondadori, 1995.
Ed. precedenti: 1989, 1991.
Uto. Bompiani, 1995.
Yucatan. Einaudi, 1996.
Ed. precedenti: Bompiani, 1986, 1989.
DE CATALDO, Giancarlo. *Nero come il cuore*. Interno Giallo, 1989.
Contessa. Liber Internazionale, 1994.
DE DOMINICIS, Alfredo. *Draghi, balene, uomini e altri animali*. La Vita Felice, 1995.
DE LUCA, Erri. *Non ora, non qui*. Feltrinelli, 1992.
Ed. precedente: 1989.
I colpi dei sensi. Fahrenheit 451, 1993.
Una nuvola come tappeto. Feltrinelli, 1994.
Ed. precedente: 1991.
Prove di risposta. Nuova Cultura, 1994.
Aceto, arcobaleno. Feltrinelli, 1995.
Ed. precedente: 1992.
In alto a sinistra. Feltrinelli, 1995.
Ed. precedente: 1994.
Pianoterra. Quodlibet, 1995.
DELL'ACQUA, Gian Piero. *Ciao Hemingway*. Tranchida, 1986.
DELL'ACQUA, Gian Piero. *Controversi amori*. Tranchida, 1996.
DE LUCA, Erri - LA CAPRIA, Raffaele. *Lettere a Francesca - Variazioni sopra una sola nota*. AGE, 1990.
DE MARCHI, Cesare. *Il bacio della maestra*. Sellerio, 1992.
La malattia del commissario. Sellerio, 1994.
DE MARTINO, Gianni. *Hotel Oasis*. Mondadori, 1988.
DE MARTINO, Gianni. SPINELLA, Mario. *La casa dell'amico*. AGE, 1991.
DE' PASQUALI, Marc. *Biondo spinto*. La Tartaruga, 1995.
DE PAULIS, Mara. *Gilbert. Nascita e morte di un rivoluzionario*. Shakespeare & Company, 1993.
DE RE, Luigi. *Attesa a Guatambu*. Mondadori, 1983.
DE RIENZO, Giorgio. *Caccia al ladro in casa Savoia*. Mondadori, 1991.

De Salvi, Francesca. *Blu notte*. Anabasi, 1995.

De Vecchi, Claudio. *Non di sola guerra*. Guaraldi, 1996.

Deaglio, Enrico. *Cinque storie quasi vere*. Sellerio, 1989.

Il figlio della professoressa Colomba. Sellerio, 1992.

Debenedetti, Antonio. *Monsieur Kitsch*. Marsilio, 1972.

In assenza del signor Plot. Marsilio, 1976.

Ancora un bacio. Guanda, 1981.

La fine di un addio. Editoriale Nuova, 1984.

Spavaldi e strambi. Rizzoli, 1987.

Se la vita non è vita. Rizzoli, 1991.

Racconti naturali e straordinari. Rizzoli, 1993.

Declich, Lorenzo - Fuksas, Anatole P. *Parsifal*. Ediesse, 1994.

Defilippi, Alessandro. *Una lunga consuetudine*. Sellerio, 1994.

Del Giudice, Daniele. *Lo stadio di Wimbledon*. Einaudi, 1983.

Atlante occidentale. Einaudi, 1987.

Ed. precedente: 1985.

Nel museo di Reims. Mondadori, 1988.

Staccando l'ombra da terra. Einaudi, 1994.

Delforno, Carlo Cristiano. *Via Palamanlio*. Rizzoli, 1981.

Blu indigo. Rizzoli, 1983.

Fiaba estrema. Rizzoli, 1984.

Descrizioni criminali. Rizzoli, 1988.

Transizione. Rizzoli, 1990.

Lo scriba. Newton Compton, 1992.

D'Elia, Gianni. *1977. Il lavoro editoriale*, 1986.

Febbraio. Il lavoro editoriale, 1986.

Infernuccio itagliano. Transeuropa, 1995.

Ed. precedente: 1988.

Della Mea, Ivan. *Fiaba d'orso, di bagatto e di un giorno centenario*. Bertani, 1987.

Il sasso dentro. Interno Giallo, 1990.

Se nasco un'altra volta ci rinuncio. Interno Giallo, 1992.

Un amore di luna. Granata Press, 1994.

Sveglia al buio. Granata Libri, 1995.

Dell'Arti, Giorgio. *Il giorno prima del Sessantotto*. Mondadori, 1987.

DEMARCHI, Andrea. *Sandrino e il canto celestiale di Robert Plant*. Mondadori, 1996.
Ed. precedente: Transeuropa, 1996.
D'EMILIO, Alvaro. *Uomini veri*. Baldini & Castoldi, 1994.
Belli dentro. Baldini & Castoldi, 1996.
Ed. precedente: 1992.
DI COSTANZO, Giuseppe. *I nemici*. Altri termini, 1989.
Lo sciacallo. Einaudi, 1995.
I popoli. Cronopio, 1995.
Ed. precedente: Shakespeare & Company, 1980.
DI FRANCESCO, Tommaso. *Doppio deserto*. Pellicanolibri, 1985.
Il giovane Mitchum. Il lavoro editoriale, 1988.
In Corpora Testo. Manni, 1994.
DI FULVIO, Luca. *Zelter*. Zelig, 1996.
DI LASCIA, Maria Teresa. *Compleanno*. Stampa Alternativa, 1994.
Passaggio in ombra. Feltrinelli, 1995.
DI MARINO, Stefano. *Per il sangue versato*. Mondadori, 1990.
Giungla mortale. Granata Press, 1991.
Lacrime di drago. Mondadori, 1994.
DI MARTINO, Francesca. *Africa, oh Africa!* Marsilio, 1991.
DI ORAZIO, Paolo. *Prigioniero del buio*. Granata Press, 1991.
Il dipinto ucciso. Granata Press, 1993.
DI STEFANO, Paolo. *Baci da non ripetere*. Feltrinelli, 1994.
Azzurro, troppo azzurro. Feltrinelli, 1996.
DONINELLI, Luca. *I due fratelli*. Rizzoli, 1990.
La revoca. Garzanti, 1992.
Le decorose memorie. Garzanti, 1994.
Baedeker inferno. Nuova Compagnia, 1995.
La verità futile. Garzanti, 1995.
DURANTI, Francesca. *Piazza mia bella piazza*. La Tartaruga, 1978.
La Bambina. Rizzoli, 1985.
Ed. precedente: La Tartaruga, 1976.
La casa sul lago della luna. Rizzoli, 1987.
Ed. precedente: 1984.
Lieto fine. Rizzoli, 1987.

Effetti personali. Rizzoli, 1991.
Ed. precedente: 1988.
Ultima stesura. Rizzoli, 1991.
Progetto Burlamacchi. Rizzoli, 1994.
Sogni mancini. Rizzoli, 1996.
Dusi, Giovanni. *I viaggi di Gulliver junior.* Marsilio, 1977.
Corte d'amore. Mondadori, 1986.
Infedeltà amorosa. Marsilio, 1992.
Il gallo rosso. Marsilio, 1995.
Ed. precedente: 1974.
Eco, Umberto. *Il nome della rosa.* Bompiani, 1995.
Ed. precedenti: 1980, 1988.
Il pendolo di Foucault. Bompiani, 1990.
Ed. precedente: 1988.
L'isola del giorno prima. Bompiani, 1996.
Ed. precedente: 1994.
Elkann, Alain. *Stella Oceanis.* Mondadori, 1983.
Le due babe. Racconti. Mondadori, 1986.
Piazza Carignano. Mondadori, 1988.
Ed. precedente: 1985.
Montagne russe. Mondadori, 1988.
Vita di Moravia. Bompiani, 1990.
Rotocalco. Bompiani, 1991.
Il tuffo. Bompiani, 1992.
Ed. precedente: Mondadori, 1981.
Delitto a Capri. Bompiani, 1992.
Vendita all'asta. Bompiani, 1993.
I sogni devono restare in famiglia. Bompiani, 1996.
Emer, Flavio. *Il corponauta: appunti di viaggio di uno spirito libero.* Interlinea, 1996.
Ercolani, Marco. *Col favore delle tenebre.* Coliseum, 1987.
Vite dettate. Liber Internazionale, 1994.
Evangelisti, Valerio. *Nicolas Eymerich, inquisitore.* Mondadori, 1994.
Faccioli, Paola. *Andrea e il suo carceriere.* Rebellato, 1977.
Passione e morte di Tommaso Loser. Città Armoniosa, 1981.

L'anno della Torre. Fogola, 1983.

Le isole felici. Marna, 1990.

Marta e il bambino di cera. Santi Quaranta, 1995.

FAETI, Antonio. *L'archivio di Abele*. Sellerio, 1993.

FALVELLA, Carlo Andrea. *Manoscritto mai ritrovato*. Feltrinelli, 1991.

FANTINI, Nicola. *La variabile Berkeley*. Nord, 1995.

FARINETTI, Gianni. *Un delitto fatto in casa*. Marsilio, 1996.

Farnszisko. La collina dei corvi. Nautilus, 1996.

FASSIO, Angela. *Il segno dello sparviero*. Nord, 1991.

Il segreto del sigillo. Nord, 1993.

FATTORE, Marcello. *Dichiarazione di conformità per veicoli di tipo omologato*. Ediesse, 1994.

FAVETTO, Gian Luca. *Chiunque va a piedi è sospetto*. Marcos y Marcos, 1992.

Tommaso Torelli, inseguitore. Marcos y Marcos, 1995.

FERRACUTI, Angelo. *Norvegia*. Transeuropa, 1993.

FERRANTE, Elena. *L'amore molesto*. E/o, 1992.

FERRANTE, Riccardo. *La febbre del mondo*. Marsilio, 1989.

L'altomare. Marsilio, 1994.

FERRARA, Giovanni. *Il senso della notte*. Sellerio, 1995.

FERRARIO, Davide. *Dissolvenza al nero*. Longanesi, 1994.

FERRERO, Sergio. *Gli occhi del padre*. Einaudi, 1996.

FERRUCCI, Franco. *Lettera a me stesso ragazzo*. Bompiani, 1989.

Ed. precedente: 1982.

I satelliti di Saturno. Leonardo, 1989.

Il cappello di Panama. Leonardo, 1991.

Ed. precedente: Rizzoli, 1973.

Il mondo creato. Mondadori, 1991.

Ed. precedente: 1986.

Fuochi. Einaudi, 1993.

Lontano da casa. Einaudi, 1996.

FERRUCCI, Roberto. *Terra rossa*. Transeuropa, 1993.

FILASTÒ, Nino. *La tana dell'oste*. Mondadori, 1986.

Incubo di signora. Interno Giallo, 1990.

Fuga da Eden e altri racconti. Marco Nardi, 1993.

Tre giorni nella vita dell'avvocato Scalzi. Ponte alle Grazie, 1995.

Ed. precedente: 1989.

La moglie egiziana. Giunti, 1995.

La proposta. Interno Giallo, 1996.

Ed. precedente: Nord, 1984.

FINI, Francesca. *Così parlò Mickey Mouse.* Ediesse, 1996.

FOIS, Marcello. *Falso gotico nuorese.* Condaghes, 1993.

Ferro recente. Granata Press, 1994.

Ed. precedente: 1992.

Meglio morti. Granata Press, 1994.

Picta. Marcos y Marcos, 1995.

Gente del libro. Marcos y Marcos, 1996.

Il silenzio abitato delle case. Mobydick, 1996

FONTANA, Enzo. *Il fiore di Mnemosine.* Spirali, 1988.

Tra le perdute genti. Mondadori, 1996.

FONTANA, Pia. *Spokane.* Marsilio, 1988.

Sera o mattina. Marsilio, 1989.

Il corpo degli angeli. Marsilio, 1991.

Bersagli. Marsilio, 1993.

Le ali di legno. Marsilio, 1994.

FORTE, Franco. *Gli eretici di Zlatos.* Nord, 1990.

Chew/9. Keltia, 1996.

Scrambler. Fanucci, 1996.

FORTINI, Letizia. *Il cavallo nero.* Adelphi, 1972.

Borje. Vallecchi, 1980.

I sussurri delle api. Vallecchi, 1985.

Esilio e morte di Robert Fox Lambert. Vallecchi, 1987.

Mio padre e altri amici. Pananti, 1992.

La valigia di cuoio di Russia. Mondadori, 1995.

FORTUNATO, Mario. *Luoghi naturali.* Einaudi, 1988.

Il primo cielo. Einaudi, 1990.

Methnani, Salah. Immigrato. Theoria, 1990.

Sangue. Einaudi, 1992.

Passaggi paesaggi. Guida per amatori della notte. Theoria, 1993.

FOVANNA, Enrico. *Il pesce elettrico. Una settimana in Kurdistan alla luce della luna.* Baldini & Castoldi, 1996.

Franceschini, Enrico. *La donna della Piazza Rossa*. Feltrinelli, 1996.
Ed. precedente: 1994.
Amore e guerra nel 1999. Feltrinelli, 1996.
Franchini, Antonio. *Camerati*. Leonardo, 1992.
Quando scriviamo da giovani. Sottotraccia, 1996.
Franco, Ernesto. *Isolario*. Einaudi, 1994.
Franco, Laura. *La mela nel cassetto*. Editori Riuniti, 1990.
Franzini, Aldo. *Il sole nella mano. Racconti per un anno*. Tranchida, 1995.
Franzosini, Edgardo. *Raymond Isidore e la sua cattedrale*. Adelphi, 1995.
Fratantonio, Carmela. *Caro Richard Gere*. La Tartaruga, 1995.
Fulci, Lucio. *La luna nera*. Granata Press, 1992.
Fusini, Nadia. *Più di tutto la bocca mi piaceva*. Donzelli, 1996.
Galiazzo, Matteo. *Dicono che certe ragazze non scaldino più tanto*.
Transeuropa, 1995.
Gallo, Giuliano. *Aliseo*. Pironti, 1993.
Ed. precedente: 1989.
Gambarotta, Bruno. *Torino, lungodora Napoli*. Garzanti, 1995.
Tutte le scuse sono buone per morire. Garzanti, 1996.
Garlaschelli, Barbara. *O ridere o morire*. Marcos y Marcos, 1995.
Ladri e barattoli. Marcos y Marcos, 1996.
Garroni, Emilio. *Racconti morali o della vicinanza e della lontanaza*.
Editori Riuniti, 1992.
Gennari, Alessandro. *Le ragioni del sangue*. Garzanti, 1995.
Genovese, Rino. *L'antieros*. Ponte alle Grazie, 1991.
Cuba, falso diario. Bollati Boringhieri, 1993.
Giachetti, Romano. *Nel letto di Marilyn*. Rizzoli, 1994.
Giacobino, Margherita. *Casalinghe all'inferno*. Baldini & Castoldi, 1996.
Giacomelli, Renzo. *Diario di Bartolomé*. Edizioni Paoline, 1992.
Giacomoni, Silvia. *La stanza vuota*. Bompiani, 1989.
Vieni qua assassina. Longanesi, 1993.
Giaquinto, Licia. *Fa così anche il lupo*. Feltrinelli, 1993.
Gilli, Paolo. *Peccati di provincia*. Baldini & Castoldi, 1994.
Giordana, Marco Tullio. *Vita segreta del signore delle macchine*.
Mondadori, 1990.
Giordano, Giovanna. *Trentasemila giorni*. Marsilio, 1996.

Giorgi, Mario. *Codice*. Bollati Boringhieri, 1994.
Biancaneve. Bollati Boringhieri, 1995.
Giovannelli, Gianni. *Svaraj Gandharva, il ratto*. Tranchida, 1986.
La giacca di Caraceni. Tranchida, 1990.
Confessioni di un uomo malvagio. Tranchida, 1993.
Ed. precedente: 1988.
Giuffré, Maria Teresa. *La sveglia di Adastro*. Studio Tesi, 1986.
L'occhio sinistro del cielo. Studio Tesi, 1988.
I colori della mattanza. Piemme, 1994.
Gnocchi, Gene. *Una lieve imprecisione*. Garzanti, 1991.
Stati di famiglia. Einaudi, 1993.
Vita e avventure del signor Leprotti. Einaudi, 1995.
Golinelli, Alessandro. *Basta che paghino*. Mondadori, 1992.
Kurt sta facendo la farfalla. ES, 1995.
Angeli. ES, 1996.
Gorret, Daniele. *All'occidente inargentato*. Il lavoro editoriale, 1986.
In solitaria parte. Tringale, 1989.
La perfetta letizia. Sestante, 1992.
Neru e Corrado Silvieri. Nuova Compagnia, 1995.
Governi, Massimiliano. *Il calciatore*. Baldini & Castoldi, 1995.
Grasso, Francesco. *Ai due lati del muro*. Mondadori, 1992.
Grasso, Silvana. *Nebbie di Ddraunnara*. La Tartaruga, 1993.
Il bastardo di Mautana. Anabasi, 1994.
Ninna nanna del lupo. Einaudi, 1995.
Graziani, Ivan. *Arcipelago Chieti*. Tracce, 1990.
Greco, Lorenzo. *Tecniche dell'adulterio*. Camunia, 1991.
Grimaldi, Aurelio. *Meri per sempre*. La Luna, 1987.
Le buttane. Bollati Boringhieri, 1989.
Storia di Enza. Bollati Boringhieri, 1991.
Tutti vi dimenticherete del mio amore perduto. Ed. della Battaglia, 1992.
I violanto. Edizioni Lavoro, 1995.
Grimaldi, Laura. *La colpa*. Leonardo, 1990.
Il sospetto. Mondadori, 1994.
Ed. precedenti: 1988, 1989.
La paura. Mondadori, 1994.

Ed. precedente: 1993.

Perfide storie di famiglia. Marco Tropea, 1996.

GUCCINI, Francesco. *Croniche epafaniche*. Feltrinelli, 1991.
  Ed. precedente: 1990.

GUCCINI, Francesco. *Bonvi. Storie dallo spazio profondo*. Granata Press, 1991.

Vacca d'un cane. Feltrinelli, 1995.
  Ed. precedente: 1993.

GUCCINI, Francesco - CELLI, Giorgio - MANFREDI, Valerio. *Storie d'inverno*.
  Mondadori, 1995.
  Ed. precedente con il tit.: *Tre racconti invernali*, 1994.

GUZZANTI, Paolo. *I giorni contati*. Baldini & Castoldi, 1995.

IMPERATORI, Gabriella. *Bionda era e bella*. Rusconi, 1990.

IMPERIALE, Roberto. *Oremus*. Mobydick, 1996.

IUDICA, Giovanni. *Il principe dei musici*. Sellerio, 1993.

IZZO, Renato. *Soltanto Eva*. Reverdito, 1989.

Il sole negli occhi. Marsilio, 1996.

JESURUM, Stefano. *Raccontalo ai tuoi figli*. Baldini & Castoldi, 1994.

Soltanto per amore. Baldini & Castoldi, 1996.

KLOBAS, Lucio. *Galleria del vento*. Tam Tam, 1976.

Pensiero estremo. Tringale, 1986.

Silenzi collettivi. Theoria, 1988.

Macchinazione celeste. Garzanti, 1990.

Orari contrari. Theoria, 1994.

LA ROSA, Marco. *Viaggio intorno a un bicchier d'acqua*. Leonardo, 1991.

LA SPINA, Silvana. *Morte a Palermo*. La Tartaruga, 1987.

Scirocco e altri racconti. La Tartaruga, 1992.

L'ultimo treno da Catania. Bompiani, 1992.

Quando Marte è in Capricorno. Bompiani, 1994.

Un inganno dei sensi malizioso. Mondadori, 1995.

LACATENA, Umberto. *La sposa del marinaio*. Manni, 1986.

Amanti domestici. Newton Compton, 1996.

LAGO, Marcello. *A noi due*. Anabasi, 1993.

LAMBIASE, Sergio. *Memorie di una guida turistica*. E/o, 1992.

LANDÒ, Luca. *Ne ho ammazzati novecento. Confessioni di un tagliatore*.
  Baldini & Castoldi, 1994.

LANZETTA, Peppe. *Figli di un Bronx minore.* Feltrinelli, 1993.
Un messico napoletano. Feltrinelli, 1994.
Una vita postdatata. Pironti, 1995.
Ed. precedente: Interlinea, 1991.
Incendiami la vita. Baldini & Castoldi, 1996.
LANZOL, Marco. *Il cuore dei ragazzi.* Babilonia, 1994.
LAURENTI, Livia. *Per un attimo ho volato.* Mondadori, 1990.
Sotto i suoi occhi. Tracce, 1994.
LEKOVIC, Kenka. *La strage degli anatroccoli.* Marsilio, 1995.
LENZI, Riccardo. *La coda del diavolo.* Mondadori, 1991.
LEONI, Roberto. *Racconti ad occhi aperti.* Reverdito, 1992.
LEVI, Lia. *Una bambina e basta.* E/o, 1994.
Quasi un'estate. E/o, 1995.
Se va via il re. E/o, 1996.
LIVI, Grazia. *La distanza e l'amore.* Garzanti, 1978.
L'approdo invisibile. Garzanti, 1980.
Le lettere del mio nome. La Tartaruga, 1991.
Vincoli segreti. La Tartaruga, 1994.
LLERA MORAVIA, Carmen. *Georgette.* Mondadori, 1988.
Lola e gli altri. Bompiani, 1991.
Ed. precedente: 1989.
Uomini. Bompiani, 1993.
Diario dell'assenza. Bompiani, 1996.
LO PRESTI, Giuseppe. *Il cacciatore ricoperto di campanelli.* Mondadori, 1990.
LODOLI, Marco - BRÉ, Silvia. *Snack bar Budapest.* Bompiani, 1988.
Ed. precedente: 1987.
LODOLI, Marco. *Ponte Milvio.* Rotundo, 1988.
Grande raccordo. Bompiani, 1989
I fannulloni. Einaudi, 1990.
Crampi. Einaudi, 1991.
Grande circo invalido. Einaudi, 1993.
Calendarietto. Due storie. Castelvecchi, 1993.
I principianti. Einaudi, 1994.
Diario di un millennio che fugge. Theoria, 1995.
Ed. precedenti: Theoria, 1986. Bompiani, 1990.

Cani e lupi. Einaudi, 1995.

Il vento. Einaudi, 1996.

LOLINI, Attilio. *Morte sospesa*. Il lavoro editoriale, 1987.

Lettura dell'Ecclesiaste. L'Obliquo, 1993.

Senza fissa dimora. Sestante, 1994.

LOLINI, Attilio - VASSALLI, Sebastiano. *Marradi*. L'Obliquo, 1988.

LOLLI, Claudio. *L'inseguitore Peter H*. Il lavoro editoriale, 1984.

Giochi crudeli. Feltrinelli, 1992.

Ed. precedente: Transeuropa, 1990.

Nei sogni degli altri. Marsilio, 1995.

LOMBARDO RADICE, Marco - RAVERA, Lidia. *Porci con le ali*. Mondadori, 1996.

Ed. precedenti: Savelli, 1976. Rizzoli, 1985.

LONGO, O. Giuseppe. *Il fuoco completo*. Studio Tesi, 1986.

Di alcune orme sopra la neve. Campanotto, 1991.

L'acrobata. Einaudi, 1994.

Congetture sull'inferno. Mobydick, 1995.

LONGONI, Angelo. *Caccia alle mosche*. Mondadori, 1989.

LOTTERO, Brunella. *Bimba*. Rusconi, 1995.

LUBRANO, Fabio. *L'amore è una brutta cosa con un bel nome*. Stampa Alternativa, 1995.

LUCARELLI, Carlo. *Carta bianca*. Sellerio, 1990.

L'estate torbida. Sellerio, 1991.

Indagine non autorizzata. Mondadori, 1993.

Falange armata. Granata Press, 1994.

Ed. precedente: 1993.

Il giorno del lupo. Granata Press, 1994.

Vorrei essere il pilota di uno zero. Mobydick, 1994.

Lupo mannaro. Theoria, 1995.

Guernica. Il Minotauro, 1996.

Via delle Oche. Sellerio, 1996.

LUCARELLI, Carlo - CATACCHIO, Onofrio. *Coliandro*. Granata Press, 1994.

LUCARELLI, Carlo - LEOTTA, Guido. *Taquita*. Mobydick, 1993.

LUCARELLI, Umberto. *Non vendere i tuoi sogni mai*. Tranchida, 1987.

Sir Akel va alla guerra. Tranchida, 1994.

Ed. precedente: 1991.

Il quaderno di Manuel. Tranchida, 1994.
Fossimo fatti d'aria. BFS, 1995.
MACCHIAVELLI, Loriano. *Fiori alla memoria*. Garzanti, 1975.
Ombre sotto i portici. Garzanti, 1976.
Le piste dell'attentato. Garzanti, 1978.
Ed. precedente: Compironi, 1974.
Passato, presente e chissà. Garzanti, 1978.
Sarti Antonio un questore e una città. Garzanti/Vallardi, 1979.
La strage dei centauri. Garzanti, 1981.
Sarti Antonio e l'amico americano. Garzanti, 1983.
La Bella delle scarpe di ferro. Rizzoli, 1983.
Stop per Sarti Antonio. Cappelli, 1987.
La rosa e il suo doppio. Cappelli, 1987.
Sarti Antonio e il malato immaginario. Cappelli, 1988.
Un poliziotto, una città. Rizzoli, 1991.
Un triangolo a quattro lati. Rizzoli, 1992.
Coscienza sporca. Mondadori, 1995.
MAGAGNOLI, Maria Luisa. *Un caffè molto dolce*. Bollati Boringhieri, 1996.
MAGGIANI, Maurizio. *Vi ho già tutti sognati una volta*. Feltrinelli, 1990.
Felice alla guerra. Feltrinelli, 1992.
Il coraggio del pettirosso. Feltrinelli, 1995.
Màuri màuri. Breve storia in tre atti e un finalino. Feltrinelli, 1996.
Ed. precedente: Editori Riuniti, 1989.
MAGGIOLINI, Giorgio. *Scolasticon*. Manni, 1992.
MAGRIS, Claudio. *Un altro mare*. Garzanti, 1991.
MAIOLI, Maura. *Le colline del silenzio*. Guaraldi, 1995.
MANCINELLI, Laura. *Il miracolo di Santa Odilia*. Einaudi, 1989.
Gli occhi dell'imperatore. Einaudi, 1993.
La casa del tempo. Piemme, 1993.
Il fantasma di Mozart e altri racconti. Einaudi, 1994.
Ed. precedente: 1986.
I racconti della mano sinistra. Piemme, 1994.
I dodici abati di Challant. Einaudi, 1995.
Ed. precedente: 1981.
Raskolnikov. Einaudi, 1996.

I tre cavalieri del Graal. Einaudi, 1996.

MANFREDI, Gianfranco. *Cromantica.* Feltrinelli, 1985.

Ultimi vampiri. Feltrinelli, 1988.

Ed. precedente: 1987.

Trainspotter. Feltrinelli, 1991.

Ed. precedente: 1989.

Magia rossa . Mondadori, 1992.

Ed. precedenti: Feltrinelli, 1982, 1989.

Il peggio deve venire. Mondadori, 1992.

La fuga del cavallo morto. Anabasi, 1993.

MANFREDI, Valerio Massimo. *Lo scudo di Talos.* Mondadori, 1990.

Ed. precedente: 1988.

Palladion. Mondadori, 1991.

Ed. precedente: 1985.

L'oracolo. Mondadori, 1992.

Ed. precedente: 1990.

Le paludi di Hesperia. Mondadori, 1995.

Ed. precedente: 1994.

La torre della solitudine. Mondadori, 1995.

MANNUZZU, Salvatore. *Procedura.* Einaudi, 1988.

Un morso di formica. Einaudi, 1989.

La figlia perduta. Einaudi, 1992.

Le ceneri del Montiferro. Einaudi, 1994.

Il terzo suono. Einaudi, 1995.

MANZONI, Gian Ruggiero. *Caneserpente.* Il Saggiatore, 1993.

MARAGNANI, Laura. *Nero padano.* Rizzoli, 1996.

MARCHIORI, Fernando. *Oramai.* Helvetia, 1985.

Il ginepraio delle cetere. Liberty House, 1986.

Brentane. Sestante, 1993.

MARI, Michele. *Di bestia in bestia.* Longanesi, 1989.

Io venia pien d'angoscia a rimirarti. Longanesi, 1990.

La stiva e l'abisso. Bompiani, 1992.

Euridice aveva un cane. Bompiani, 1993.

Filologia dell'anfibio. Diario militare. Bompiani, 1995.

MARINELLI, Giancarlo. *Amori in stazione.* Guanda, 1995.

MARIOTTI, Giovanni. *Re Candaule*. Anabasi, 1993.

Matilde. Anabasi, 1993.

Classic Pursuit. Bompiani, 1995.

MARZADURI, Lorenzo. *Rito mortale*. Transeuropa, 1989.

Clapton. Transeuropa, 1990.

Sergio Rotino contro Rommel e Benito Adolfo Castracani. Mondadori, 1992.

Ed. precedente: Transeuropa, 1989.

Buio. Granata Press, 1993.

Hot Lord. Pequod, 1996.

MARZADURI, Lorenzo - CATACCHIO, Onofrio. *Hey Joe*. Granata Press, 1993.

MASSARON, Stefano. *Lezioni notturne*. Granata Press, 1994.

MASTRANGELO, Giovanni - COPI. *Bratto*. Daga, 1992.

MASTRANGELO, Giovanni. *Piccolo Buddha, ovvero la storia del principe Siddharta*. Sperling & Kupfer, 1993.

Il coupè scarlatto. Marsilio, 1994.

MATERAZZO, Gianni. *Delitti imperfetti*. Mondadori, 1989.

Cherchez la femme. Mondadori, 1991.

Villa Maltraversi. Mondadori, 1992.

I labirinti della memoria. Mondadori, 1993.

MATHIEU, Marco. *A che ora è la fine del mondo?* Lindau, 1995.

MATTOTTI, Lorenzo. *Fuochi*. Granata Press, 1991.

MATTOTTI, Lorenzo - AMBROSI, Lilia. *L'uomo alla finestra*. Feltrinelli, 1992.

MAURENSIG, Paolo. *La variante di Lüneburg*. Adelphi, 1993.

Canone inverso. Mondadori, 1996.

MAZZANTINI, Margaret. *Il catino di zinco*. Marsilio, 1996.

Ed. precedente: 1994.

MAZZOCCHI, Melania. *Il bacio della medusa*. Baldini & Castoldi, 1996.

MAZZUCATO, Francesca. *La sottomissione di Ludovica*. Borelli, 1995.

Hot Line. Storia di un'ossesione. Einaudi, 1996.

MEDICI, Sandro. *Vite di poliziotti*. Einaudi, 1979.

Un figlio. Baldini & Castoldi, 1996.

MELDINI, Piero. *L'avvocata delle vertigini*. Adelphi, 1994.

L'antidoto della malinconia. Adelphi, 1996.

MELEGA, Gianluigi. *Tempo lungo. Addio alla virtù*. Baldini & Castoldi, 1993.

Tempo lungo. Delitti d'amore. Baldini & Castoldi, 1993.

Tempo lungo. Eravamo come piante. Baldini & Castoldi, 1994.

Il maggiore Aebi. Feltrinelli, 1996.

MENGHINI, Luigi. *Reazione a catena.* Nord, 1977.

Il regno della nube. Nord, 1979.

Il messaggio dei Calten. Nord, 1982.

Il mio amico Stone. Nord, 1984.

L'assedio. Nord, 1991.

MEZZANOTTE, Anna. *Matrimonio di notte.* Edizioni del Leone, 1991.

Il miraggio della laguna. Tranchida, 1995.

MIG, Otto (Lorenzo Miglioli) - *Palmer, Ben. La morte di re Media.* Granata Press, 1991.

MIGLIOLI, Lorenzo. *Ra-dio; Bit Generation.* Castelvecchi/Synergon, 1993.

Hitler-Warhol experience. Pop hard opera. Synergon, 1993.

MIMMI, Franco. *Rivoluzione.* Cappelli, 1979.

Villaggio vacanze. Frassinelli, 1994.

MIZZAU, Marina. *I bambini non volano.* Bompiani, 1992.

Come i delfini. Bompiani, 1995.

Ed. precedente: Essedue, 1988.

MODIANO, Renzo. *Ipotesi di giustizia nel principato di A.* Mondadori, 1991.

MOLOCCHI, Andrea. *Sulla scia del dragòn.* Rusconi, 1993.

Eteira. Rusconi, 1995.

MOLTENI, Annamaria. *La stagione del gufo dorato.* Mondadori, 1991.

MONTANARI, Gianni. *Ileri, il futuro.* Nord, 1977.

MONTANARI, Raul. *Il buio divora la strada.* Leonardo, 1991.

La perfezione. Feltrinelli, 1996.

Ed. precedente: 1994.

MONTEFOSCHI, Giorgio. *Ginevra.* Rizzoli, 1974.

Il Museo africano. Rizzoli, 1976.

L'amore borghese. Rizzoli, 1981.

Ed. precedente: 1978.

La terza donna. Garzanti, 1984.

Lo sguardo del cacciatore. Rizzoli, 1987.

La felicità coniugale. Rizzoli, 1988.

Ed. precedente: 1982.

Il volto nascosto. Bompiani, 1991.

La porta di Damasco. Bompiani, 1992.
La casa del padre. Bompiani, 1995.
Ed. precedente: 1994.
MONTESI, Paolo. *Il grande disordine.* Frassinelli, 1996.
MONTRUCCHIO, Alessandra. *Ondate di calore.* Marsilio, 1996.
MORAZZONI, Marta. *La ragazza col turbante.* Tea, 1989.
Ed. precedente: Longanesi, 1986.
Casa materna. Tea, 1994.
Ed. precedente: Longanesi, 1992.
L'invenzione della verità. Tea, 1995.
Ed. precedente: Longanesi, 1988.
L'estuario. Longanesi, 1996.
MORESCO, Antonio. *Clandestinità.* Bollati Boringhieri, 1993.
La cipolla. Bollati Boringhieri, 1995.
MORETTI, Massimo. *L'urlo.* Marsilio, 1993.
MORO SAPORITI, Camilla. *Il filo.* Tranchida, 1995.
MOSCA MONDADORI, Giacomo. *Cioccolato, pollo fritto e orizzonti colorati.*
   Sperling & Kupfer, 1994.
MOZZI, Giulio. *Questo è il giardino.* Theoria, 1993.
La felicità terrena. Einaudi, 1996.
MUSA, *Gilda.* Fondazione ID. Nord, 1981.
NADIANI, Giovanni. *Il sole oltre la nebbia.* Walberti, 1986.
All'ombra mancante. Testi brevi. Mobydick, 1987.
Per abbandonati selciati. Mobydick, 1991.
Non storie. Mobydick, 1992.
Tir. Mobydick, 1994.
Solo musica italiana. Mobydick, 1995.
NARCISO, Giancarlo. *I guardiani di Wirikuta.* Granata Press, 1994.
Le zanzare di Zanzibar. Granata Press, 1995.
NATA, Sebastiano. *Il dipendente.* Theoria, 1995.
NEIROTTI, Marco. *Assassini di carta.* Marsilio, 1987.
In fuga con Frida. Marsilio, 1991.
NEMBRINI, Claudio. La locandina gialla. Vallecchi, 1987.
Fine dell'amore. Marsilio, 1996.
NERI, Gaetano. *Dimenticarsi della nonna.* Marcos y Marcos, 1989.

Conversazione con un branzino. Marcos y Marcos, 1990.

L'ora di tornare. Marcos y Marcos, 1992.

Un momento delicato. Marcos y Marcos, 1996.

NEROZZI, Gianfranco. *Tre gatti avventurosi.* De Bono, 1988.

Le bocche del buio. Polistampa, 1992.

NESI, Edoardo. *Fughe da fermo.* Bompiani, 1995.

Ride con gli angeli. Bompiani, 1996.

NICOLA X. *Infatti purtroppo.* Theoria, 1995.

NIGRO, Raffaele. *Gioco d'oca.* Schena, 1981.

I fuochi del Basento. Rizzoli, 1988.

Ed. precedente: Camunia, 1987.

Il piantatore di lune e altri racconti. Rizzoli, 1991.

La baronessa dell'Olivento. Rizzoli, 1992.

Ed. precedente: Camunia, 1990.

Il grassiere. Schena, 1992.

Ombre sull'Ofanto. Mondadori, 1994.

Ed. precedente: Camunia, 1992.

Dio di levante. Mondadori, 1994.

NOTARGIACOMO, Bernardo. *La pittura e la pizza.* Castelvecchi, 1994.

NOVE, Aldo. *Woobinda e altre storie senza lieto fine.* Castelvecchi, 1996.

OCHOVÀ, Sheila. *Il sale della terra.* Giunti, 1989.

OCKAYOVA, Jarmila. *Verrà la vita e avrà i tuoi occhi.* Baldini & Castoldi, 1995.

OLIVA, Carlo. *Tra di noi.* Baldini & Castoldi, 1992.

ONOFRI, Sandro. *Luce del nord.* Theoria, 1991.

Colpa di nessuno. Theoria, 1995.

OREGGIA, Vincenzo Maria. *Prossimi alla conclusione.* Tranchida, 1996.

ORENGO, Nico. *La misura del ritratto.* Bompiani, 1979.

Ribes. Einaudi, 1988.

Miramare. Einaudi, 1989.

Ed. precedente: Marsilio, 1976.

Le rose di Evita. Einaudi, 1990.

Figura gigante. Einaudi, 1992.

Ed. precedente: Serra e Riva, 1984.

La guerra del basilico. Einaudi, 1994.

L'autunno della signora Waal. Einaudi, 1995.

Romanzo. Einaudi, 1995.
Dogana d'amore. Einaudi, 1996.
Ed. precedenti: Rizzoli, 1986. Einaudi, 1995.
ORSINI, Natale Maria. *Francesca e Nunziata*. Anabasi, 1995.
OTTIERI, Maria Pace. *Amore nero*. Mondadori, 1985.
OXMAN, Alice. *Lager maternità*. Bompiani, 1974.
La fabbrica dei fiori. Marsilio, 1978.
L'amore, le armi. Mondadori, 1987.
Prima donna. Marsilio, 1990.
PACCHIANO, Giovanni. *Ho sposato una prof.* Marsilio, 1996.
PALANDRI, Enrico. *Le pietre e il sale*. Garzanti, 1986.
Boccalone. Storia vera piena di bugie. Feltrinelli, 1988.
Ed. precedente: L'erba Voglio, 1979.
La via del ritorno. Bompiani, 1991.
Ed. precedente: 1990.
Allegro fantastico. Bompiani, 1993.
PALOMBO, Clelia. *Inno alla vita*. Tranchida, 1995.
PANARO, Alberto. *Corpo celeste*. Anabasi, 1994.
PANELLA, Carlo. *Il verbale*. Sellerio, 1989.
Amare fuggire. Mondadori, 1995.
PAPA, Marco. *Animalario*. Theoria, 1987.
Le nozze. Theoria, 1990.
La pazienza. Empiria e Florida, 1992.
Le birre sonnanbule. Theoria, 1994.
Ed. precedente: Aelia Laelia, 1986.
PAPA, Marco - CAPACCIO, Antonio. *La guerra*. Empiria e Florida, 1989.
PARDINI, Vincenzo. *La volpe bianca*. La Pilotta, 1981.
Il falco d'oro. Mondadori, 1983.
Il racconto della luna. Mondadori, 1987.
Jodo Cartamigli. Mondadori, 1989.
La mappa delle asce. Theoria, 1990.
La congiura delle ombre. Theoria, 1992.
Giovale. Bompiani, 1993.
Rasoio di guerra. Giunti, 1995.
PARIANI, Laura. *Di corno e d'oro*. Sellerio, 1993.

Il pettine. Sellerio, 1995.

La spada e la luna. Quattordici notturni. Sellerio, 1996.

PARIS, Renzo. *Frecce avvelenate.* Bompiani, 1974.

La casa in comune. Cooperativa Scrittori, 1977.

Filo da torcere. Feltrinelli, 1982.

Fuori rotta. Pellicanolibri, 1983.

Cani sciolti. Transeuropa, 1988.

Ed. precedente: Savelli, 1973.

Cattivi soggetti. Editori Riuniti, 1988.

Le luci di Roma. Theoria, 1991.

PARRI, Mario Graziano. *La signora del gioco.* Cesati, 1984.

La notte precedente il nostro futuro. Cesati, 1985.

Magenta petrel. Mondadori, 1990.

PASCUTTO, Giovanni. *Milite ignoto.* Marsilio, 1976.

La famiglia è sacra. Mondadori, 1977.

Nessuna pietà per Giuseppe. Mondadori, 1978.

Tre locali più servizi. Longanesi, 1980.

L'amico Friz. Mondadori, 1981.

Strana la vita. Mondadori, 1986.

I colori dell'acqua. Mondadori, 1988.

Veramente non mi chiamo Silvia. Marsilio, 1993.

PATETTA, Luciano. *Gli angeli e l'architetto.* Tranchida, 1995.

PAZZI, Roberto. *Il re, le parole.* Lacaita, 1980.

Cercando l'imperatore. Garzanti, 1988.

Ed. precedente: Marietti, 1985.

Vangelo di Giuda. Garzanti, 1989.

La malattia del tempo. Garzanti, 1991.

Ed. precedente: Marietti, 1987.

La stanza sull'acqua. Garzanti, 1991.

La principessa e il drago. Garzanti, 1992.

Ed. precedente: 1986.

La città del dottor Malaguti. Garzanti, 1993.

Incerti di viaggio. Longanesi, 1996.

PECORA, Elio. Estate. Bompiani, 1981.

I triambuli. Pellicanolibri, 1985.

La ragazza con il vestito di legno e altre fiabe italiane. Frassinelli, 1992.

PELLEGRINI, Claudio. *Forno caldo per cani.* Datanews, 1993.

PELLEGRINO, Angelo Maria. *Nel segreto di Palmarola.* Stampa Alternativa, 1993.

In Transiberiana. Stampa Alternativa, 1994.

Ed. precedente: 1991.

Diario di uno stupratore. Mondadori, 1992.

PENNACCHI, Antonio. *Mammut.* Donzelli, 1994.

Palude. Donzelli, 1995.

PENSANTE, Marco. *Il sole non tramonta.* Nord, 1986.

Ponte di mezzo. Interno Giallo, 1992.

PERA, Pia. *La bellezza dell'asino.* Marsilio, 1992.

Il diario di Lo. Marsilio, 1995.

PEREGO, Giovanni. *La recita.* Camunia, 1993.

PÉREZ PÉREZ, Luisa. *Il generalissimo.* Bollati Boringhieri, 1992.

I miei capitani. Bollati Boringhieri, 1994.

PERLOTTO, Franco. *Terre di nessuno. Diario di un viaggiatore estremo.* Sperling & Kupfer, 1992.

La terra degli invisibili. Marco Tropea, 1996.

PEROTTI, Simone. *Zenzero e nuvole.* Theoria, 1995.

PERUGINI, Angelo. *Lovemobile.* Il lavoro editoriale, 1987.

PESARO, Luca. *I difensori di Cilith.* Nord, 1996.

PESCATORI, Vittorio. *La maschia.* Re Nudo, 1979.

L'odalisco. Sugarco, 1989.

Uranopoli. Viaggio verso il monte Athos. Sugarco, 1991.

La maschia - L'odalisco - L'animalo. Sottotraccia, 1995.

PETRI, Romana. *Il gambero blu e altri racconti.* Rizzoli, 1990.

Il ritratto del disarmo. Rizzoli, 1991.

Il baleniere delle montagne. Rizzoli, 1993.

L'antierotico. Marsilio, 1995.

PETRIGNANI, Sandra. *Navigazione di Circe.* Theoria, 1987.

Il catalogo dei giocattoli. Theoria, 1988.

Come cadono i fulmini. Rizzoli, 1991.

Poche storie. Theoria, 1993.

Vecchi. Theoria, 1994.

Ultima India. Baldini & Castoldi, 1996.

PETTER, Anna. *La ragazza che fabbricava notti*. Rizzoli, 1992.

PEYROT, Bruna. *Oltre le nuvole*. Giunti, 1994.

PIAZZA, Vito. *La valigia sotto il letto*. Sellerio, 1988.

Milanesi non si nasce. Sellerio, 1996.

PICCA, Aurelio. *La schiuma*. Gremese, 1992.

L'esame di maturità. Giunti, 1995.

I racconti dell'eternità. Nuova Compagnia, 1995.

I mulatti. Giunti, 1996.

PICCININI, Alberto. *Il futuro di Giulia*. Transeuropa, 1995.

PICCOLO, Francesco. *Storie di primogeniti e di figli unici*. Feltrinelli, 1996.

PIEGAI, Daniela. *Parola di alieno*. Nord, 1978.

Ballata per Lima. Nord, 1980.

Il mondo non è nostro. La Tartaruga, 1989.

La bambina di ghiaccio. Solfanelli, 1989.

PIEGAI, Daniela - ALDANI, Lino. *Nel segno della luna bianca*. Nord, 1985.

PIEMONTESE, Felice. *Epidemia*. Pironti, 1989.

PIERALLINI, Elisabetta. *Sottosale*. Vallecchi, 1979.

Le farfalle in faccia. Vallecchi, 1980.

Bellamore. Bompiani, 1982.

I belli di famiglia. Camunia, 1986.

PIERSANTI, Claudio. *Charles*. Il lavoro editoriale, 1986.

L'amore degli adulti. Feltrinelli, 1989.

Gli sguardi cattivi della gente. Feltrinelli, 1992.

Casa di nessuno. Sestante, 1993.

Ed. precedente: Feltrinelli, 1981.

Cinghiali. Castelvecchi, 1994.

PIGLIACAMPO, Renato. *Thulcandra*. Transeuropa, 1993.

PINARDI, Davide. *A sud della giustizia*. Interno Giallo, 1991.

L'isola nel cielo. Tranchida, 1993.

Ed. precedente: 1988.

Ritorno nella valle del Signore. Tranchida, 1994.

Ed. precedente: 1991.

L'attesa. Granata Press, 1994.

Il ritorno di Vasco e altri racconti dal carcere. Marcos y Marcos, 1994.

Viaggio a Capri. I dieci giorni che sconvolsero Lenin. Liber Internazionale, 1996.

Tutti i luoghi del mondo. Marco Tropea, 1996.

PINKETTS, Andrea G. *Lazzaro, vieni fuori.* Music Makers, 1992.

Il vizio dell'agnello. Feltrinelli, 1994.

Il senso della frase. Feltrinelli, 1995.

Io non io, neanche lui. Feltrinelli, 1996.

PISANI, Liaty. *La terra di Avram.* Mondadori, 1987.

Specchio di notte. Leonardo, 1991.

Il falso pretendente. La Vita Felice, 1995.

Ed. precedente: Coliseum, 1986.

PISCHEDDA, Bruno. *Com'è grande la città.* Marco Tropea, 1996.

PISCICELLI, Salvatore. *Baby Gang.* Crescenzi Allendorf, 1992.

La neve a Napoli. Mondadori, 1996.

PIUMINI, Roberto. *Tre d'amore.* Einaudi, 1990.

Storia del Mago. Crescenzi Allendorf, 1992.

Il ciclista illuminato. Il Melangolo, 1994.

La rosa di Brod. Einaudi, 1995.

PIVETTA, Oreste. *Tre per due.* Donzelli, 1994.

PIZZINGRILLI, Clio. *Emidio Rosso.* Marka, 1990.

I profondissimi. Bompiani, 1992.

Uscita degli uomini secondari. Feltrinelli, 1994.

Popolo della terra. Feltrinelli, 1996.

PIZZORNO, Benedetto. *Odla il cantastorie.* Fanucci, 1995.

POLUZZI, Fabrizia. *Canale zero.* Granata Libri, 1995.

PORPORATI, Andrea. *La felicità impura.* Mondadori, 1990.

Nessun dolore. Mondadori, 1993.

PORTA, Antonio. *Los(t) angeles.* Vallecchi, 1996.

PRATT, Hugo. *Il romanzo di Criss Kenton.* Editori del Grifo, 1990.

Jesuit Joe. Editori del Grifo, 1991.

Corto Maltese. Una ballata del mare salato. Einaudi, 1995.

Saint-Ex l'ultimo volo. Bompiani, 1995.

Corto Maltese. Corte sconta detta arcana. Einaudi, 1996.

PRESCIUTTINI, Paola. *Occhi di grano.* Sensibili alle foglie, 1994.

PRESSBURGER, Giorgio. *Il sussurro della grande voce.* Rizzoli, 1990.

La coscienza sensibile. Rizzoli, 1992.

Denti e spie. Rizzoli, 1994.

I due gemelli. Rizzoli, 1996.

PRONI, Giampaolo. *Il caso del computer Asia.* Bollati Boringhieri, 1989.

PROSPERI, Pierfrancesco. *Garibaldi a Gettysburg.* Nord, 1993.

PROVERA, Chiara. *Lettere al Califfo.* Giunti, 1995.

PUGNI, Paolo. *Al di là della luce, al di là delle stelle.* Edizioni Paoline, 1990.

Sinfonia in do minore. Tre movimenti per un cambio di rotta. Marna, 1991.

PUNZI, Vito. *Berliner.* Nuova Compagnia, 1995.

RAFFO, Silvio. *Lo specchio attento.* Studio Tesi, 1987.

Il lago delle sfingi. Marna, 1990.

La voce della pietra. Il Saggiatore, 1996.

RAGAZZINI, Andrea. *Squeaking Train Blues.* Guaraldi, 1994.

RAGGI, Giordano. *Il limite.* Guaraldi, 1995.

RAMONDINO, Fabrizia. *Storie di patio.* Einaudi, 1983.

Un giorno e mezzo. Einaudi, 1988.

Star di casa. Garzanti, 1991.

Dadapolis. Caleidoscopio napoletano. Einaudi, 1992.

Ed. precedente: 1989.

Taccuino tedesco. La Tartaruga, 1994.

Ed. precedente: 1987.

Althénophis. Einaudi, 1995.

Ed. precedente: 1981.

In viaggio. Einaudi, 1995.

RASY, Elisabetta. *Il finale della battaglia.* Feltrinelli, 1988.

L'altra amante. Garzanti, 1990.

Mezzi di trasporto. Garzanti, 1993.

Ritratti di signora. Rizzoli, 1995.

RAVERA, Lidia. *Ammazzare il tempo.* Mondadori, 1977.

Bambino mio. Bompiani, 1978.

Per funghi. Theoria, 1987.

Bagna i fiori e aspettami. Rizzoli, 1988.

Ed. precedente: 1986.

Se lo dico perdo l'America. Rizzoli, 1988.

Voi grandi. Theoria, 1990.

Due volte vent'anni. Rizzoli, 1992.

Sorelle. Mondadori, 1994.

In quale nascondiglio del cuore. Lettera a un figlio adolescente. Mondadori, 1995. Ed. precedente: 1993.

Nessuno al suo posto. Mondadori, 1996.

REBULLA, Eduardo. *Carte celesti*. Sellerio, 1990.

Linea di terra. Sellerio, 1992.

Segni di fuoco. Sellerio, 1995.

RELLA, Franco. *Attraverso l'ombra*. Camunia, 1986.

L'ultimo uomo. Feltrinelli, 1996.

RIGBY, Elinor (Giacobino, Margherita). *Un'americana a Parigi*. Baldini & Castoldi, 1993.

RIGOSI, Giampiero. *Dove finisce il sentiero*. Theoria, 1995.

RIOTTA, Gianni. *Cambio di stagione*. Feltrinelli, 1993. Ed. precedente: 1991.

Ultima dea. Feltrinelli, 1994.

Ombra. Un capriccio veneziano. Rizzoli, 1995.

RIVA, Alessandro. *Dogana*. Marcos y Marcos, 1992.

ROMAGNOLI, Gabriele. *Videocronache*. Mondadori, 1994.

Navi in bottiglia. Mondadori, 1995. Ed. precedente: 1993.

In tempo per il cielo. Mondadori, 1995.

ROMANI, Roberto. *La soffitta del Trianon*. Sellerio, 1989.

RONDONI, Davide. *I santi scemi*. Guaraldi, 1995.

ROSSETTI, Raul. *Schiena di vetro. Memorie di un minatore*. Einaudi, 1989.

Schiena di vetro. Memorie di un minatore. Einaudi, 1989.

Piccola, bella, bionda e grassottella. Baldini & Castoldi, 1995.

ROSSI, Nerino. *Il ballo di Mara*. Camunia, 1985.

Le quattro stagioni della vita. Gremese, 1986.

La voce nel pozzo. Marsilio, 1990.

La neve nel bicchiere. Marsilio, 1993. Ed. precedente: 1984.

La pavona. Marsilio, 1993.

Melanzio. Marsilio, 1994.

La signora della Gaiana. Marsilio, 1995.
Ed. precedente: Bompiani, 1984.
La pietra forata. Marsilio, 1996.
ROVEGNO, Enrico. *Vigilia*. Marietti, 1987.
Le mele di Zurbaràn. Marietti, 1992.
RUBIN DE CERVIN, Ernesto. *Passeggiata al castello*. Novecento, 1990.
Ed. precedente: 1989.
Il ragazzo in tunica. Marsilio, 1995.
SACCHINI, Bruno. *Cronache da una città di mare*. Guaraldi, 1995.
SALABELLE, Maurizio. *Un assistente inaffidabile*. Bollati Boringhieri, 1992.
Mio unico amico. Bollati Boringhieri, 1994.
SALVATORI, Claudia. *Schiavo e padrona*. Marco Tropea, 1996.
SANDELLI, Franco. *Porfiri, Caliente*. Granata Press, 1991.
SANTACROCE, Isabella. *Fluo. Storie di giovani a Riccione*. Castelvecchi, 1995.
Destroy. Feltrinelli, 1996.
SANTAMAURA. *Magdala*. Mondadori, 1983.
Il paradiso e gli assassini. Marietti, 1989.
SANTONI, Lucilio. *Apologia del perdente. Pagine dell'esistenza nuda*. Guaraldi, 1995.
SAPORITI, Agostino. *Schegge*. Datanews, 1993.
SARSINI, Monica. *Crepacuore*. All'insegna del pesce d'oro, 1985.
Crepapelle. All'insegna del pesce d'oro, 1988.
Serenata. Essegi, 1989.
Riassunto. Exit, 1990.
Libro luminoso. Exit, 1992.
I passi della sirena. Giunti, 1992.
Colorare. Exit, 1993.
SCAGNOLI, Riccardo. *L'ultima frontiera*. Nord, 1980.
Il vento scarlatto. Fanucci, 1985.
SCANNER, Ivo. *La borsa di Togliatti*. Datanews, 1993.
SCANSANI, Stefano. *L'amor morto*. Mondadori, 1991.
SCARAFFIA, Giuseppe. *La donna fatale*. Sellerio, 1987.
Infanzia. Sellerio, 1987.
Il mantello di Casanova. Sellerio, 1989.
SCARAMOZZINO, Francesco. *Storia di Susy*. Nuova Compagnia, 1995.

La bellezza di Efeso. Tracce, 1995.

SCARPA, Tiziano. *Occhi sulla graticola*. Einaudi, 1996.

SCARPARO, Angela. *Shining Valentina*. Transeuropa/Mondadori, 1992.

Quando cresci in un piccolo paese. Transeuropa, 1995.

SCATASTA, Marco. *Morire, dormire, sognare forse....* Granata Press, 1992.

SCHIAVO, Maria. Macellum. *Storia violenta e romanzata di donne e di mercato*. La Tartaruga, 1979.

Discorso eretico alla fatalità. Giunti, 1990.

SCHNEDITZ, Alf. *Non voglio andare in India*. Marcos y Marcos, 1993.

Chelsea Hotel. Marcos y Marcos, 1995.

SCHWARZ, Nicola. *Gli amici di Mimaszk*. Camunia, 1996.

SCLAVI, Tiziano. *Film*. Il Formichiere, 1974.

Dellamorte dellamore. Rizzoli, 1992.

Ed. precedente: Camunia, 1991.

Nel buio. Camunia, 1993.

Apocalisse. Mondadori, 1994.

Ed. precedente: Camunia, 1993.

Tre. Mondadori, 1994.

Ed. precedente: Camunia, 1988.

Nero. Rizzoli, 1994.

Ed. precedente: Camunia, 1992.

Mostri. Camunia, 1994.

La circolazione del sangue. Camunia, 1995.

Le etichette delle camicie. Giunti, 1996.

SCOZZARI, Filippo. *Cuore di Edmondo*. Granata Press, 1993.

SCRIMA, Francesco. *Teresa e le amiche*. Pellicanolibri, 1987.

La spiaggia e il fuoco. L'Autorelibri, 1990.

SEBASTE, Beppe - MESSORI, Giorgio. *L'ultimo buco nell'acqua*. Aelia Laelia, 1983.

SEBASTE, Beppe. *Café Suisse e altri luoghi di sosta*. Feltrinelli, 1992.

Niente di tutto questo mi appartiene. Feltrinelli, 1994.

SELLITTO, Carolina. *Sole di plastica*. Pironti, 1994.

SELVA, Pierangelo. *La grande neve*. Marsilio, 1990.

SERENI, Clara. *Sigma Epsilon*. Marsilio, 1984.

Casalinghitudine. Einaudi, 1987.

Manicomio primavera. Giunti, 1989.

Il gioco dei regni. Giunti, 1993.

Eppure. Feltrinelli, 1995.

SERRA, Michele. *Il nuovo che avanza.* Feltrinelli, 1989.

Quarantaquattro falsi. Feltrinelli, 1991.

SESSI, Frediano. *Il diavolo in chiostro.* Elitropia, 1986.

Il ragazzo celeste. Perché si uccide un compagno? Marsilio, 1991.

Ritorno a Berlino. Marsilio, 1993.

L'ultimo giorno. Marsilio, 1995.

SEVERINI, Gilberto. *Nelle aranciate amare.* Il lavoro editoriale, 1981.

Consumazioni al tavolo. Il lavoro editoriale, 1982.

Sentiamoci ancora qualche volta. Il lavoro editoriale, 1984.

Partners. Transeuropa, 1988.

Fuoco magico. Transeuropa, 1988.

Un breve autunno. Transeuropa, 1991.

Congedo ordinario. Pequod, 1996.

SIBALDI, Igor. *La congiura.* Mondadori, 1994.

La trama dell'angelo. Mondadori, 1995.

SILVERA, Miro. *La cineteca di Babele.* Milano Libri, 1980.

L'ebreo errante. Frassinelli, 1993.

Margini d'amore. 23 storie proibite. Frassinelli, 1994.

Il prigioniero di Aleppo. Frassinelli, 1996.

SITI, Walter. *Scuola di nudo.* Einaudi, 1994.

SIVIERO, Massimo. *Il diavolo giallo.* Camunia, 1992.

SOPRANO, Elena. *La maschera.* Baldini & Castoldi, 1996.

Ed. precedente: Archinto, 1994.

SOSSELLA, Massimiliano. *Nessuno conosce nessuno.* Mondadori, 1981.

La scena è la stessa. Marcos y Marcos, 1996.

SPINATO, Giampaolo. *Pony Express.* Einaudi, 1995.

STARNONE, Domenico. *Il salto con le aste.* Feltrinelli, 1991.

Ed. precedente: 1989.

Segni d'oro. Feltrinelli, 1991.

Ed. precedente: 1990.

Fuori registro. Feltrinelli, 1991.

Eccesso di zelo. Feltrinelli, 1994.

Ed. precedente: 1993.
Denti. Feltrinelli, 1994.
Stebe, Bruno. *Eufolo.* Marietti, 1992.
Racconti del doppio e dell'inganno. Biblioteca del Vascello, 1995.
Steffenoni, Antonio. *Una sola paura.* Rizzoli, 1976.
Un'ora d'aria. Rizzoli, 1979.
L'ultima lettera di Jaime Joaquin Mora Tordera. Interno Giallo, 1992.
Sono qui per dirti addio. Il Melangolo, 1993.
Stucchi, Gian Corrado. *Corti di Longobardia.* Mursia, 1991.
Susani, Carola. *Il libro di Teresa.* Giunti, 1995.
Tabucchi, Antonio. *Il piccolo naviglio.* Bompiani, 1978.
Donna di Porto Pim. Sellerio, 1983.
I volatili del Beato Angelico. Sellerio, 1987.
Notturno indiano. Sellerio, 1989.
Ed. precedente: 1984.
Il gioco del rovescio. Feltrinelli, 1991.
Ed. precedenti: Saggiatore, 1981. Feltrinelli, 1988.
Piccoli equivoci senza importanza. Feltrinelli, 1991.
Ed. precedenti: 1985, 1986.
Il filo dell'orizzonte. Feltrinelli, 1991.
Ed. precedente: 1986.
Sogni di sogni. Sellerio, 1992.
Piazza d'Italia. Feltrinelli, 1993.
Ed. precedente: Bompiani, 1975.
L'angelo nero. Feltrinelli, 1993.
Ed. precedente: 1991.
Requiem. Feltrinelli, 1994.
Ed. precedente: 1992.
Gli ultimi tre giorni di Fernando Pessoa. Sellerio, 1994.
Sostiene Pereira. Feltrinelli, 1996.
Ed. precedente: 1994.
Tamaro, Susanna. *La testa tra le nuvole.* Marsilio, 1994.
Ed. precedente: 1989.
Va' dove ti porta il cuore. Baldini & Castoldi, 1994.
Per voce sola. Baldini & Castoldi, 1996.

Ed. precedenti: Marsilio, 1991. Baldini & Castoldi, 1995.

TAMBURINI, Alessandro. *Ultima sera dell'anno*. Il lavoro editoriale, 1988.

Nel nostro primo mondo. Marsilio, 1990.

Le luci del treno. Marsilio, 1992.

La porta è aperta. Marsilio, 1994.

TANI, Cinzia. *Sognando California*. Marsilio, 1987.

Mesi blu. Marsilio, 1991.

TARANTINO, Massimo. *Danze mobili*. San Marco, 1989.

TASSINARI, Stefano. *Ai soli distanti*. Mobydick, 1995.

TEOBALDELLI, Ivan. *Esercizi di castità*. Einaudi, 1993.

TEOBALDI, Paolo. *Finte. Tredici modi per sopravvivere ai morti*. E/o, 1995.

TEODORANI, Alda. *Giù nel delirio*. Granata Press, 1991.

Le radici del male. Granata Press, 1993.

Fiore oscuro. Il Minotauro, 1995.

Testa, Annamaria. *Leggere e amare. Ventuno racconti*. Feltrinelli, 1994.

Ed. precedente: 1993.

TESTI, Elettra. *La sorella*. La Luna, 1992.

TICOZZI, Luigi. *Cacciatore della luce*. Nord, 1995.

TONDELLI, Pier Vittorio. *Biglietti agli amici*. Baskerville, 1986.

Altri libertini. Feltrinelli, 1991.

Ed. precedente: 1980.

Pao Pao. Feltrinelli, 1991.

Ed. precedente: 1982.

Camere separate. Bompiani, 1991.

Ed. precedente: 1989.

L'abbandono. Bompiani, 1993.

Un weekend postmoderno. Bompiani, 1993.

Ed. precedente: 1990.

Dinner party. Bompiani, 1994.

Rimini. Bompiani, 1995.

Ed. precedenti: 1985, 1987, 1993.

TONI, Giuseppe. *Elioppido e la notte della civetta*. Stampa Alternativa, 1994.

TONI, Sandro. *Tutte le notti e qualche giorno*. Longanesi, 1994.

TORTORA, Matilde. *La mia amica era un film*. Ed. Periferia, 1989.

Domestiche passioni. Livi editore, 1992.

Toscano, Laura. *I passi segnati*. Costa & Nolan, 1987.

Un uomo senza memoria. Mondadori, 1990.

Morte di una strega. Mondadori, 1995.

Tozzi, Chiara. *Tanti posti vuoti*. Aktis, 1996.

Travi, Ida. *La bambina che giocò col leone*. Re Nudo, 1976.

Un materasso che va a vapore. Tranchida, 1981.

Vienna. Corpo 10, 1984.

L'abitazione del secolo. Corpo 10, 1989.

Tripeleff, F. *Un avventura galante del Conte di Cavour*. Stampa Alternativa, 1992.

La vendetta di Papa Giuseppe. Stampa Alternativa, 1993.

Odo e Riprando. Babilonia, 1994.

Ed. precedente: Firenze Atheneum, 1991.

Il Castello di Pombia. Babilonia, 1994.

Tutino, Saverio. *Cicloneros*. Giunti, 1994.

Una Chi (Bianchi, Bruna). *È duro campo di battaglia il letto*. ES, 1994.

Una Chi (Bianchi, Bruna). *Il sesso degli angeli*. ES, 1995.

Valentini, Elisabetta. *Fotomodella*. Mondadori, 1988.

Valle, Giovanni. *I volatori nella macchina*. Crescenzi Allendorf, 1992.

Vallorani, Nicoletta. *Il cuore finto di DR*. Mondadori, 1993.

Dentro la notte, e ciao. Granata Press, 1995.

La fidanzata di Zorro. Marcos y Marcos, 1996.

Van Straten, Giorgio. *Generazione*. Garzanti, 1987.

Hai sbagliato foresta. Garzanti, 1989.

Ritmi per il nostro ballo. Marsilio, 1992.

Corruzione. Giunti, 1995.

Vassalli, Sebastiano. *Tempo di massacro. Romanzo di centramento e sterminio*. Einaudi, 1970.

L'arrivo della lozione. Einaudi, 1976.

Abitare il vento. Einaudi, 1980.

La notte della cometa. Einaudi, 1990.

Ed. precedente: 1984.

L'oro del mondo. Einaudi, 1990.

Ed. precedente: 1987.

Mareblu. Mondadori, 1992.

Ed. precedenti: 1982, 1990.
La chimera. Einaudi, 1992.
Ed. precedente: 1990.
Marco e Mattio. Einaudi, 1994.
Ed. precedente: 1992.
3012. Einaudi, 1995.
Il cigno. Einaudi, 1996.
Ed. precedente: 1993.
Romanzo. Einaudi, 1996.
VECCHIONI, Roberto. *Viaggi nel tempo immobile*. Einaudi, 1996.
VENEZIANI, Antonio. *Fototessere del delirio urbano*. CIDS, 1985.
VENTAVOLI, Bruno. *Pornokiller*. E/o, 1995.
Assassinio sull'Olimpo. Rusconi, 1995.
VENTRELLA, Vito. *Affabilità*. Einaudi, 1979.
Un albero da marciapiede. L'Obliquo, 1990.
Il pudore di Ares. Einaudi, 1995.
VERGANI, Martina. *In fondo al lago*. La Tartaruga, 1985.
Only one. Pironti, 1988.
VERONESI, Sandro. *Per dove parte questo treno allegro*. Bompiani, 1991.
Ed. precedente: Theoria, 1988.
Cronache italiane. Mondadori, 1992.
Gli sfiorati. Mondadori, 1993.
Ed. precedente: 1990.
Venite venite B 52. Feltrinelli, 1995.
VIETTI, Alessandro. *Cyberworld*. Nord, 1996.
VIGANÒ, Valeria. *Il tennis nel bosco*. Theoria, 1989.
Prove di vite separate. Rizzoli, 1992.
L'ora preferita della sera. Feltrinelli, 1995.
VILLOTTI, Jimmy. *Gli sbudellati*. Comix/Sperling, 1994.
VITALI, Andrea. *Il procuratore*. Camunia, 1990.
Il meccanico Landru. Camunia, 1992.
VITALI, Andrea. *Dilaghèe*. Stefanoni, 1993.
VIVIANI, Luciana. *Rosso antico*. Giunti, 1994.
VODARICH, Monica. *Una trappola per Peggy*. La Tartaruga, 1993.
VOGLINO, Alex - ZUDDAS, Gianluigi - CERSOSIMO, A. *Le spade Ausonia*.

Akropolis, 1982.

VOGLINO, Alex. *Dingo Bay.* Sperling & Kupfer, 1994.

VOLPI, Marisa. *Il maestro della betulla.* Vallecchi, 1986.

Nonamore. Mondadori, 1988.

Cavaliere senza destino. Giunti, 1993.

La casa di via Tolmino. Garzanti, 1993.

Il condor. Giunti, 1994.

Congedi. Giunti, 1995.

VOLTOLINI, Dario. *Un'intuizione metropolitana.* Bollati Boringhieri, 1990.

Rincorse. Einaudi, 1994.

Forme d'onda. Feltrinelli, 1996.

WEBER, Roberto. *La lunga giovinezza di Andrea W.* Studio Tesi, 1988.

WEISS, Marco. *Il calciatore.* Marcos y Marcos, 1990.

Sinemà. Guanda, 1994.

WITTIG, Carlotta. *Il libro di Io.* Stampa Alternativa, 1993.

Donne. Sperling & Kupfer, 1995.

ZOCCHI, Chiara. *Olga.* Garzanti, 1996.

ZODERER, Joseph. *L'italiana.* Mondadori, 1985.

La felicità di lavarsi le mani. Mondadori, 1987.

Il silenzio dell'acqua sotto il ghiaccio. Einaudi, 1990.

Ed. precedente: 1989.

Lontano. Mondadori, 1991.

Ed. precedente: 1986.

La notte della grande tartaruga. Einaudi, 1996.

ZUDDAS, Gianluigi. *Balthias l'avventuriera.* Nord, 1983.

Il volo dell'angelo. Nord, 1984.

ZZYWWURATH, Adan (Porcarelli, Franco). *L'ultimo caso del piccolo lama Nanguj.* Theoria, 1987.

Il matrimonio del mare e dell'inferno. Theoria, 1992.

Ed. precedente: 1985.

ZZYWWURATH, Adan (Porcarelli, Franco) - CICARÈ, Mauro. *Fuori di testa.* Editori del Grifo, 1993.

Le antologie

Canzoni. Leonardo, 1990.
Racconti di Marco Lodoli, Gianfranco Manfredi, Enrico Palandri, Pier Vittorio Tondelli, Giorgio van Straten.

Coda Comix. Raccolta di giovani umoristi. Comix, 1996.
Racconti di Michele Cogo, Cosimo Lorenzo Pancini e Beniamino Sidoti, Pablo Renzi, Gabriele Basso, Giorgio Turletti, Gianluca Cangini, Gian Domenico Lupo, Adriano Stradi, Lino Bragadini, Piergiorgio Tibaldi, Marco Bertarini e Fabio Sorbi, Alessia Vignali, Alessandro Boriani, Emanuela Listo e Sonia Caretti, Vincenzo Fabbricatti, Dino Coletti.

Esercizi lauretani. Transeuropa, 1995.
Racconti di Ferruccio Parazzoli, Gilberto Severini, Silvia Ballestra, Angelo Ferracuti, Vito Punzi, Diana Boria e Federica Fermani.

Furore Letterario. Inserto di Esquire, Agosto/Settembre 1990.
Racconti di Aldo Busi, Gaetano Cappelli, Andrea De Carlo, Alain Elkann, Giorgio van Straten.

Lettere al primo amore. Introduzione di Natalia Aspesi, Einaudi, 1996.

My generation. 19 giovani esordienti raccontano la loro generazione. Nuova Eri, Roma, 1994.
Racconti di Andrea Melas, Aldo Levi D'Arloè, Amelia Venegoni, Gabriele Di Stefano, Giuliano Pittà, Giuliano Mannini, Enrico Brizzi, Doriano Prendini, Angelo Santoro, Domenico Gallo, Rosario Campanile, Fausto D'Amico, Giuseppe Pace, Enrico Calvario, Alessandro Pozzetti, Renato Briante, Sergio Beducci, Emanuela Menossi, Corrado Mancinelli.

Patria. Lo scrittore e il suo paese. Theoria, 1992.
Racconti di Fulvio Abbate, Severino Cesari, Giampiero Comolli, Mario

Fortunato, Sandro Onofri, Sandra Petrignani, Lidia Ravera, Sandro Veronesi, Valeria Viganò.

Racconti del sabato sera. Einaudi, Torino, 1995.
Ottantatre racconti selezionati su circa cinquemila pervenuti al concorso «Scrivi il tuo sabato sera» promosso da la Repubblica, il Premio Grinzane Cavour e l'Einaudi, in collaborazione con il Comune di Torino. Introduzione di Giuliano Soria. Con uno scritto di Dario Voltolini. In appendice un'analisi psicologica dei racconti a cura di Tilde Giani Gallino.

Racconti? Quelles nouvelles? Scriptorium Cooperativa D.O.C.,1995.
Racconti di Emanuele Baccilieri, Olivier Barboyon, Ida Bozzi, Judith Bregman, Livio Camisa, Valeria de Cubellis, Daniel Giraud, Marine Locatelli, Eric Losa, Laura Minetto, Rosa Mogliasso, Mario Naldi, Riccardo Pittavino, Andrea Roscigno, Glauco Salvador, Alain Turgeon.

AGOSTINELLI, Alessandro (a cura di). *Fosfori. 17 racconti di autori italiani contemporanei.* Marco Nardi, 1992.
Racconti di Paolo Barbaro, Athos Bigongiali, Silvia Bre, Romolo Bugaro, Andrea Canobbio, Enzo Fileno Carabba, Gabriele Contardi, Riccardo Ferrante, Roberto Ferrucci, Marco Lodoli, Maurizio Maggiani, Enrico Palandri, Sandra Petrignani, Claudio Piersanti, Tiziano Scarpa, Giorgio van Straten, Sandro Veronesi.

BALLESTRA, Silvia - MOZZI, Giulio (a cura di). *Coda 'Koude.* Transeuropa, 1996.
Racconti di Simone Battig, Davide Bregola, Alberto Fassina, Alessandro Lise, Marco Mancassola, Giovanni Mascia, Giulio Milani, Nicola Montenz, Roberta Schiavon, Lorenzo Taddei, Massimiliano Zambetta.

BARAGHINI, Marcello (a cura di). *Raccolta Millelire inediti autori italiani.* Stampa Alternativa, 1992.
Racconti di Luigi Cerina, Alvise Oltrona Visconti, Domenico Oprandi, Luisa Puliti, Mauro Antonio Miglieruolo, Roberto Nervegna, Stefano Martinelli, Francesco Luigi Bovi, Mariangela Sedda, Tripeleff.

BIANCHI, Matteo (a cura di). *Kaori non sei unica*. Fuori Thema /Tempi stretti, 1995. Racconti di Tripeleff, Tommaso Labranca, Luca Tito Faraci, Sergio Rotino, Massimo Scotti, Clelia Roggero, Paolo Rumi, Domenico Monti, Michele Molinari, Matteo B. Bianchi, Fabio Lubrano.

BIANCHI, Matteo (a cura di). *Miguel son sempre mi*. Fuori Thema/Tempi stretti, 1996.
Racconti di Massimo Scotti, Pino Cacucci, Alberto Forni, Matteo Bianchi, Sergio Rotino, Carlo Lucarelli, Fabio Lubrano, Clelia Roggero, Alessandra Buschi, Michele Molinari, Luca Tito Faraci, Marco Mancassola, Enzo Verrengua, Paolo Rumi, Andrea G. Pinketts.

CAPPA, Felice (a cura di). *Scemo chi legge*. Smemoranda Dire fare baciare, Agosto 1996.
Racconti di Niccolò Ammaniti, Luisa Brancaccio, Enrico Brizzi, Claudio Camarca, Andrea Demarchi, Enrico Fovanna, Alessandra Montrucchio, Isabella Santacroce, Tiziano Scarpa, Chiara Zocchi.

CAPPI, Carlo Andrea (a cura di). *Inverno Giallo Mondadori 1996*. Mondadori, 1996.
Racconti di Pino Farinotti, Dall'Angelo & Sorlini, Gianni Materazzo, Simonetta Mininni, Lorenzo Longaretti, Matteo Curtoni, Matteo Severgnini, Carlo Oliva, Stefano Di Marino, Barbara Garlaschelli, Andrea Carlo Cappi, Carmen Iarrera, Gianfranco Nerozzi, Claudia Salvatori, Pasini & Colombo, Andrea G. Pinketts, Carlo Lucarelli, Daniele Losini, Marco Del Freo, Colombo & Franchini, Danila Comastri Montanari, Lorenzo Marzaduri.

CECCONI, Massimo - SPINELLA, Mario (a cura di). *Ai margini. Racconti italiani*. Franco Angeli, 1991.
Racconti di Franco Bompieri, Giuseppe Bonura, Paola Capriolo, Carlo Castellaneta, Ottavio Cecchi, Giampiero Comolli, Carlo Cristiano Delforno, Umberto Lacatena, Gina Lagorio, Francesco Leonetti, Marco Lodoli, Giuseppe lo Presti, Mario Lunetta, Salvatore Mannuzzu, Giuliana Morandini, Ferruccio Parazzoli, Carlo Sgorlon, Mario Spinella, Antonio Tabucchi, Fulvio Tomizza, Sebastiano Vassalli, Eugenio Vitarelli.

CELATI, Gianni. *Narratori delle riserve*. Feltrinelli, 1992.
Racconti di Franco Arminio, Marco Belpoliti, Daniele Benati, Ginevra Bompiani, Rocco Brindisi, Rossana Campo, Patrizia Cavalli, Ermanno Cavazzoni, Alice Ceresa, Mara Cini, Enzo Fabbrucci, Elvio Facchinelli, Lino Gabellone, Daniele Gorret, Patrizia Guarnieri, Gabriele Latemar, Valerio Magrelli, Giorgio Messori, Luigi Monteleone, Nico Orengo, Roberto Papetti, Nino Pedretti, Sandra Petrignani, Claudio Piersanti, Massimo Riva, Maurizio Salabelle, Mauro Sargiani, Giuliano Scabia, Marianne Schneider, Beppe Sebaste, Lisabetta Serra, Gaetano Testa.

CIAMPA, Maurizio - MARCOALDI, Franco (a cura di). *Paesaggi italiani*. (Supplemento al n.15 di "Leggere"), Archinto, 1989.
Racconti di Ginevra Bompiani, Nanni Cagnone, Vincenzo Consolo, Daniele Del Giudice, Antonio Faeti, Aldo A. Gargani, Aldo Grasso, Dante Maffia, Valerio Magrelli, Luigi Malerba, Salvatore Mannuzzu, Ruggero Pierantoni, Beniamino Placido, Sergio Quinzio, Giampaolo Rugarli, Edoardo Sanguineti, Maria Sebregondi, Luigi Serafini, Corrado Stajano, Emilio Tadini, Lietta Tornabuoni.

CUTRUFELLI, Maria Rosa - GUACCI, Rosaria - RUSCONI, Marisa (a cura di). *Il pozzo segreto. Cinquanta scrittrici italiane*. Giunti, 1993

D'ADAMO, Francesco - GUACCI, Rosaria (a cura di). *Il delitto è servito ovvero quando il cibo si tinge di giallo*. Gambero rosso editore, 1996.
Racconti di Pino Cacucci, Fiorella Cagnoni, Elisabetta Chicco, Francesco D'Adamo, Pino Farinotti, Davide Ferrario, Marcello Fois, Laura Grimaldi, Peppe Lanzetta, Silvana La Spina, Lorenzo Longaretti, Carlo Lucarelli, Gianni Materazzo, Marco Pensante, Davide Pinardi.

FABIO, Giovanni - TENTORI, Antonio. *Neo noir. Deliziosi raccontini col morto*. Stampa Alternativa, 1995.
Racconti di John Haigh, Antonio Pedicini, Luigi Seviroli, Massimo Brando, Antonio Tentori, Marco Minicangeli, Giovanni De Feo, Sabrina Deligia, Federico Monti, Alda Teodorani, Loredana Fayer, Elisabetta Donatello, Claudio Fausti, Aldo Masci, Pino Blasone, Alessandra Santini, Nicola Lombardi,

Marzia Bonato, Claudio Pellegrini, Giuseppe Magnarapa, Ivo Scanner, Tiziana Colusso, Tinto Brass, Riccardo Bernardini.

Falduto, Fabiana (a cura di). *Bad girls. Scelte, pensieri, stili di vita delle ragazze italiane.* Castelvecchi, 1995.

Fano, Nicola (a cura di). *Il pomeriggio dell'atleta stanco.* Theoria, 1995.
Racconti di Giampiero Comolli, Marco Lodoli, Sandro Onofri, Manlio Santinelli, Valeria Viganò, Daniele Azzolini.

Fiori, Antonella (a cura di). *Bambine cattive.* Ediesse, 1996.
Racconti di Luisa Brancaccio, Enrica Brocardo, Carla Carinci, Marina Cianferoni, Marina Presciutti, Simona Vasetti.

Fois, Marcello (a cura di). *Giallo, nero e mistero.* Stampa Alternativa, 1994.
Racconti di Eraldo Baldini, Pino Cacucci, Massimo Carloni, Nicola Ciccoli, Danila Comastri Montanari, Marcello Fois, Carlo Lucarelli, Loriano Macchiavelli, Gianni Materazzo, Sandro Toni, Simona Rivolta, Alfredo Colitto, Elisabetta Monica, Francesco Scalone, Rita Boini, Gianfranco Nerozzi, Giampiero Rigosi, Giorgio Cremonini, Sergio Rotino, Sabina Macchiavelli.

Forte, Franco (a cura di). *Fantasia. Raccolta Millelire di inediti fanta-scienza - fantasy -horror.* Stampa Alternativa, 1995.
Racconti di Franco Forte, Enzo Verrengia, Paolo Aresi, Marco Pensante, Paolo Lanzotti, Giuseppe Longo, Franco Ricciardello, Carlo Bordoni, Franco Clun, Massimo Pandolfi, Gloria Barberi, Daniele Brolli, Roberto Genovesi, Enrico Passaro, Vittorio Curtoni, Dario Tonani, Renato Pestriniero, Mauro Scarpelli, Gianfranco De Turris, Marco Antonio Miglieruolo, Daniele Ganapini, Silvia Canavese.

Forte, Franco (a cura di). *Ciberpunk.* Stampa Alternativa, 1996.
Racconti di Franco Forte, Marco Pensante, Giampaolo Proni, Pina D'Aria, Stefano Di Marino, Domenico Gallo, Antonio Caronia, Franco Ricciardiello, Piergiorgio Nicolazzini.

FORTE, Franco (a cura di). *Horror erotico.* Stampa Alternativa, 1995.
Racconti di Alda Teodorani, Franco Forte, Maria Rosa Cutrufelli, Daniele
Ganapini, Silvana La Spina, Daniele Brolli, Gloria Barberi, Roberto
Barbolini, Gabriella Scialdone, Carlo Lucarelli.

FRANCHINI, Antonio - PARAZZOLI Ferruccio (a cura di). *Italiana. Antologia
dei nuovi narratori.* Mondadori, 1991.
Racconti di Edoardo Albinati, Luciano Allamprese, Bruno Arpaia, Marco
Bacci, Pino Cacucci, Gaetano Cappelli, Paola Capriolo, Erri De Luca, Luca
Doninelli, Mario Fortunato, Marco Lodoli, Gianfranco Manfredi, Michele
Mari, Enrico Palandri, Marco Papa, Giovanni Pascutto, Claudio Piersanti,
Elisabetta Rasy, Susanna Tamaro, Alessandro Tamburini, Pier Vittorio
Tondelli, Giorgio Van Straten, Sandro Veronesi, Valeria Viganò.

FUKSAS, Anatole Pierre (a cura di). *La giungla sotto l'asfalto.* Ediesse, 1993.
Racconti di Stefano Cristante, Marisa Cianferoni, Marcello Fattore, Diego
Pastorino, Francesca D'Alessio, Niccolò Ammaniti, Marina Presciutti, Ma-
rio Delfino, Luciana Calzolaro, Jaime D'Alessandro, Lorenzo Mercatanti,
Marcello Berengo Gardin, Attilio Castellucci, Lucia Assurelli.

GUACCI, Rosaria - MIORELLI, Bruna (a cura di). *Racconta.* La Tartaruga, 1989.
Racconti di Barbara Alberti, Ginevra Bompiani, Paola Capriolo, Francesca
Duranti, Ida Farè, Gina Lagorio, Silvana La Spina, Grazia Livi, Rosetta
Loy, Dacia Maraini, Paola Masino, Piera Opezzo, Anna Maria Ortese, San-
dra Petrignani, Fabrizia Ramondino, Lalla Romano, Francesca Sanvitale,
Maria Schiavo, Beatrice Solinas Donghi, Bibi Tomasi, Martina Vergani,
Marisa Volpi.

GUACCI, Rosaria - MIORELLI, Bruna (a cura di). *Racconta 2.* La Tartaruga,
1993.
Racconti di Pia Pera, Nuccia Cesare, Laura Mancinelli, Bruna Cordati, Ida
Travi, Rossana Campo, Carla Ammannati, Francesca Avanzini, Marisa
Bulgheroni, Alessandra Buschi, Elisabetta Chicco, Paola De Luca, Bruna
dell'Agnese, Mara Cini, Silvana Grasso, Silvia Ballestra, Romana Petri,
Monica Sarsini, Matilde Tortora, Nicoletta Vallorani.

GNERRE, Francesco (a cura di). *Avventure dell'Eros*. Gammalibri, 1984. Racconti di Dario Bellezza, Attilio Lolini, Mario Mieli, Giancarlo Nuvoli, Pier Giorgio Paterlini, Elio Pecora, Beppe Ramina, Riccardo Reim, Gianfranco Rossi, Piero Santi, Pier Vittorio Tondelli, Antonio Veneziani.

LA PORTA, Gabriele - SCAGLIA, Franco (a cura di). *Misteri. Quasi un manifesto della letteratura del mistero e del segreto*. Camunia, 1992. Racconti di Luigi Spagnol, Mino Milani, Pinuccia Ferrari & Stefano Jacini, Ugo Chiti, Luca Crovi, Camillo Falivena, Francesco Degli Espinosa, Massimo Siviero, Andrea Santini, Tiziano Sclavi, Massimo Felisatti, Gabriele La Porta, Giuseppe Pederiali, Renato Olivieri, Antonello Sarno, Pierfelice Bernacchi, Vittorio Testa, Giovanni Pedde, Annibale Paloscia, Gian Luigi Piccioli, Gilda Musa, Marco Tropea, Nino Filastò, Michele Giammarioli, Franco Cuomo, Roberto Genovesi, Remo Guerrini, Albertina Archibugi, Laura Grimaldi, Andrea Vitali, Inisero Cremaschi, Giuseppe Bonura, Andrea G. Pinketts, Franco Scaglia, Angelo Mainardi, Italo Moscati, Pino Cacucci, Ivan Della Mea, Paolo Andreocci, Francesco Fantasia.

LIBRERIA DEL GIALLO (a cura di). *Crimine. Milano giallo-nera. Raccolta di inediti della Scuola dei Duri*. Stampa Alternativa, Roma, 1995. Racconti di Acquilino, Riccardo Benucci, Orazio Brigante, Elisabetta Bucciarelli, Gaetano Cappelli, Andrea Carlo Cappi, Marcello Cimino, Matteo Curtoni, Marco Del Freo, Fabrizio Ferri, Cesare Fiore, Chicca Gagliardo, Barbara Garlaschelli, Tiziano Guarnori, Adriana Libretti, Lele Lomazzi, Lorenzo Longaretti, Ferdinando Maresca, Giorgio Mascitelli, Carlo Oliva, Sandro Ossola, Davide Pinardi, Andrea G. Pinketts, Luca Ramacciotti, Alessandro Riva, Fabio Santopietro, Marco Scarpelli, Diego Susanna, Rosa Teruzzi, Lorenzo Viganò, Cristina Volpi, Andrea Zanivan.

LORIA, Stefano (a cura di). *Camere con vista. Ventuno autori contemporanei per Firenze*. Festina Lente, 1994. Racconti di Elisabetta Beneforti, Enzo Fileno Carabba, Bruno Casini, Ernesto De Pascale, Ubaldo Fadini, Pietro Forosetti, Idolina Landolfi, Giovanni Lorenzi, Stefano Loria, Domitilla Marchi, Patrizia Mello, Sergio Nelli, Luigi Oldani, Steve Piccolo, Michele Puccioni, Monica Sarsini, Francesca

Sorace, Giacomo Trinci, Riccardo Subri, Franco Zabagli, Carlo Zei.

LUSSU, Joyce - SCATASTA Raffaello (a cura di). *Streghe a fuoco*. Transeuropa, 1992
Racconti di Joyce Lussu, Annalisa Piergallini, Maria Francesca Cossetti, Silvia Ballestra, Alessandra Buschi, Alberta Toniolo, Dina Franciulli, Maria Ludovica Lenzi, Nora Federici, Maria Vittoria Ceci, Nives Fedrigotti.

MOLTEDO, Adriana (a cura di). *Parole di donne*. Stampa Alternativa, 1994.
Racconti di Ippolita Avalli, Giacoma Limentani, Rosetta Loy, Dacia Maraini, Susanna Tamaro.

MOSCATI, Massimo (a cura di). *I delitti del Gruppo 13. Antologia illustrata dei giallisti bolognesi*. Metrolibri, 1991.
Racconti di Pino Cacucci, Massimo Carloni, Nicola Ciccoli, Danila Comastri Montanari, Marcello Fois, Carlo Lucarelli, Loriano Macchiavelli, Lorenzo Marzaduri, Gianni Materazzo, Sandro Toni.

MOSCATI, Massimo (a cura di). *Nero italiano. Ventisette racconti metropolitani*. Mondadori, 1990.
Racconti di Sergio Altieri, Marco Bacci, Guido Baldassarri, Roberto Barbolini, Daniele Brolli, Pino Cacucci, Fabrizio Caleffi, Gaetano Cappelli, Francesco D'Adamo, Giancarlo De Cataldo, Ivan Della Mea, Stefano Di Marino, Dina d'Isa, Nino Filastò, Laura Grimaldi, Fabio Lombardi, Angelo Longoni, Carlo Lucarelli, Fabio Ivano Magalini, Patrizia Masini, Stefano Massaron, Giuseppe Meroni, Alessandro Riva, Cinzia Tani, Alda Teodorani, Marco Tropea, Laura Toscano.

PALA, Ugo - FLORIS, Antioco (a cura di). *Facciamoci del male. Tredici lune*. Cuec, 1990
Testi di Edoardo Albinati, Mario Fortunato, Biancamaria Frabotta, Valerio Magrelli, Claudio Piersanti, Domenico Starnone, Giorgio van Straten, Sandro Veronesi, Valeria Viganò.

PANZERI, Fulvio. *I nuovi selvaggi. Antologia dei nuovi narratori*. Guaraldi, 1995.
Racconti di Roberto Barbolini, Davide Barilli, Guido Conti, Luca Doninelli,

Enzo Fontana, Idolina Landolfi, Vincenzo Pardini, Aurelio Picca, Gabriele Romagnoli, Davide Rondoni, Gilberto Severini, Vito Ventrella, Filippo Betto, Andrea Mancinelli, Andrea Rossetti, Francesca Avanzini, Nuccia Cesare, Marc de' Pasquali, Donatella Diamanti, Maura Maioli, Claudio De Vecchi, Giancarlo Giojelli, Oreste Neri, Andrea Ragazzini, Giordano Raggi, Bruno Sacchini, Arnaldo Scaramuzza, Alessandro Zignani.

PANZERI, Fulvio - RIGHETTO, Roberto (a cura di). *I racconti dell'Apocalisse.* SEI, 1996.
Racconti di Roberto Bolognesi, Sam Calzone, Giovanni Giuseppe Capparelli, Corrado Castiglione, Loredana Ceccon Terranova, Paolo Daccò, Fabio Dal Corobbo, Gimmi Filippi, Domenico Gallo, Gualberto Gismondi, Emidio Gratani, Nanni Manconi, Alberto Mannelli, Maria Luisa Pagani, Oreste Paliotti, Gian Luigi Paltrinieri, Andrea Peviani, Rolando Pizzini, Paolo Ragni, Gianluca Selmi, Riccardo Sforzi, Lucio Todde, Matilde Tortora, Mario Tuti, Ernesto Maria Volpe.

PANZERI, Fulvio - RIGHETTO, Roberto (a cura di). *Racconta il tuo Dio.* Mondadori, 1993.
Racconti di Marco Beccaria, Marco Beck, Stefano Betti, Alfredo Caravita, Paolo Daccò, Gianni De Martino, Franco Forte, Mario Gaglione, Gian Franco Grechi, Sergio Greco, Vincenzo Laezza, Giampaolo Mascheroni, Giovanni Matarazzo, Monica Mondo, Oreste Paliotti, Claudio Piersanti, Paolo Ruffilli, Claudio Soldaini, Matilde Tortora, Visar Zhiti.

PANZERI, Fulvio - RIGHETTO, Roberto (a cura di). *Salvacion. I gialli religiosi.* Piemme, 1996.
Racconti di Roberto Barbolini, Giuseppe Bonura, Ambrogio Borsani, Raffaele Crovi, Paolo Daccò, Giorgio De Simone, Angelo Ferracuti, Franco Forte, Mario Gaglione, Bianca Garavelli, Maria Teresa Giuffrè, Gian Franco Grechi, Silvana La Spina, Carlo Lucarelli, Nino Majellaro, Lorenzo Marzaduri, Piero Meldini, Mino Milani, Ferruccio Parazzoli, Pasqualino Fortunato, Giuseppe Pederiali, Claudio Piersanti, Davide Pinardi, Michele Prisco, Alessandro Tamburini, Susanna Tamaro, Matilde Tortora.

PELLIZZARI, Tommaso (a cura di). *Pulp sex. Il sesso e l'estate. I libri di Gulliver.* (allegato alla rivista Gulliver, n. 8, agosto 1996).
Racconti di Rossana Campo, Francesca Mazzuccato, Pia Pera, Elena Soprano, Isabella Santacroce, Nicoletta Vallorani, Niccolò Ammaniti, Giuseppe Caliceti, Giuseppe\Culicchia, Giulio Mozzi, Aldo Nove, Tiziano Scarpa.

RAVERA, Lidia (a cura di). *Legami familiari.* Controluce, 1996.

ROTA, Enos (a cura di). *Caro Pier.* Tempi Stretti, 1996.

TONDELLI, Pier Vittorio (a cura di). *Giovani blues. Progetto Under 25.* Il Lavoro editoriale, 1985.
Racconti di Silvia Ballestra, Guido Conti, Raffaella Venarucci, Giuseppe Culicchia, Alessandra Comoglio e Frediano Tavano, Angeliki Riganatou, Andrea Zanardo.

TONDELLI, Pier Vittorio (a cura di). *Belli & perversi. Progetto Under 25.* Transeuropa, 1987.
Racconti di Andrea Mancinelli, Francesco Silbano, Romolo Bugaro, Giuseppe Borgia, Renato Menegat, Andrea Demarchi, Tonino Sennis.

TONDELLI, Pier Vittorio (a cura di). *Papergang. Progetto Under 25.* Transeuropa, 1990.
Racconti di Andrea Canobbio, Andrea Lassandari, Roberto Pezzuto, Giuliana Caso, Paola Sansone, Rory Cappelli, Alessandra Buschi, Giancarlo Viscovich, Claudio Camarca, Vittorio Cozzolino, Gabriele Romagnoli.

Le riviste: numeri monografici

"Nuovi Argomenti", n. 18. *Nuovi racconti italiani*, aprile-giugno 1986.
Testi di Anna Maria Ortese, Giovanni Pascutto, Aldo Busi, Luciano Allamprese, Pier Vittorio Tondelli, Alain Elkann, Antonio Debenedetti, Antonio Tabucchi, Michele Colafato, Alice Oxman, Roberto Pazzi, Marc Saudade, Francesca Sanvitale, Marco Papa, Edoardo Albinati, Elisabetta Rasy, Niccolò Tucci.

"Panta", n. 1. *La paura*. Bompiani, 1990.
Testi di Acheng, Edoardo Albinati, Jean Echenoz, Marco Lodoli, Jay McInerney, Vincenzo Pardini, Elisabetta Rasy, Mona Simpson, Habib Tengour, Sandro Veronesi, Pier Vittorio Tondelli.

"Panta", n. 2. *Il denaro*. Bompiani, 1990.
Testi di Aldo Busi, Filippo Betto, Tony Cafferky, Alain Elkann, Ola Larsmo, Jayne Loader, Javier Marias, Enrico Palandri, Claudio Piersanti, Stephen Sartarelli, Alessandro Tamburini, Valeria Viganò, Edmund White.

"Panta", n. 3. *Mesi*. Bompiani, 1990.
Testi di Edoardo Albinati, Gilles Barbedette, Alain Elkann, Peter Esterhàzy, Richard Ford, Irina Liebmann, Marco Lodoli, Vincenzo Pardini, Claudio Piersanti, Elisabetta Rasy, Alex Susanna, Sandro Veronesi, Valeria Viganò.

"Panta", n. 4. *Sesso*. Bompiani, 1991.
Testi di Martin Amis, Patrick Besson, Severino Cesari, Bob Colacello, Renè de Ceccaty, Gianni De Martino, Sony Labou Tansi, Eduardo Mendicutti, Susan Minot, Pia Pera, Luigi Serafini.

"Panta", n. 5. *Frontiere*. Bompiani, 1991.
Testi di Rosalind Belben, Eugenij Charitonov, Gyorgy Dalos, Lucette Destouches, Mario Fortunato, David Grossman, Libuse Monikovà, Ben Okri, Giorgio Pressburger, Juan Josè Saer, Susanna Tamaro, Colm Tòibin.

"Panta", n. 6. *Miracoli.* Bompiani, 1991.
Testi di Fulvio Abate, Bernardo Atxaga, Silvia Bre, Gaetano Cappelli, Mohamed Choukri, Erri De Luca, Luca Doninelli, Marco Lodoli, Valerio Magrelli, Maria Ndiaye, Amos Oz, Marco Papa, Clio Pizzingrilli.

"Panta", n. 7. *Crimini.* Bompiani, 1992.
Testi di Peter Bichsel, Alessandro Fambrini, Edgardo Franzosini, Michele Mari, Andreu Martin, Giulio Mozzi, Haruki Murakami, Vincenzo Pardini, Alessandro Riva, Jean Stein, Sandro Veronesi, Valeria Viganò.

"Panta", n. 8. *La follia* (a cura di Valeria Viganò). Bompiani, 1992.
Testi di Paul Auster, Alessandro Bergonzoni, Emmanuèle Bernheim, T. Coraghessan Boyle, Jenny Diski, Gene Gnocchi, Valerio Magrelli, Vladimir Makanin, Enrico Palandri, Clara Sereni, Alessandro Tamburini, Enrique Vila Matas.

"Panta", n. 10. *La politica* (a cura di Sandro Veronesi). Bompiani, 1993.
Testi di Fulvio Abbate, Lucia Annunziata, Andrea Berrini, Oleg Davydov, Nadine Gordimer, Massimiliano Governi, Suheyla Acar Kalyoncu, Elena Costjukovic, Jay Mc Inerney, Fiamma Nirenstein, Aleksandr Lisjanskij, Ben Okri, Enrico Palandri, Vincenzo Pardini, John Satriano, Genichiro Takahashi, Jasmina Tesanovic.

"Panta", n. 11. *La notte* (a cura di Vincenzo Pardini). Bompiani, 1993.
Testi di Alessandro Bergonzoni, Peter Blegvad, Andrea Canobbio, Andrea Carraro, Renè De Ceccaty, Erri De Luca, Ernesto De Pascale, Luca Doninelli, Gian Luca Favetto, Barry Gifford, Gene Gnocchi, Idolina Landolfi, Itamar Levy, Marco Lodoli, Emmanuel Moses, Roberto Mussapi, Jim Nisbet, Roberto Pazzi, Aurelio Picca, Vittorio Sgarbi, Alexander Stuart, Rupert Thomson.

"Almanacco delle prose. Il semplice", n. 1 (a cura di Ermanno Cavazzoni). Feltrinelli, 1995.
Testi di Daniele Benati, Ermanno Cavazzoni, Gianni Celati, Stefano Benni, Alberto Coppari, Enzo Fabbrucci, Ugo Cornia, Roberto Valentini, Ginevra

Bompiani, Rocco Brindisi, Learco Pignaroli, Aldo Jonata.

"Almanacco delle prose. Il semplice", n. 2 (cura di Ermanno Cavazzoni e Jean Talon). Feltrinelli. 1996.
Testi di Daniele Benati, Gianfranco Anzini, Ginevra Bompiani, Ermanno Cavazzoni, Gianni Celati, Ugo Cornia, Enzo Fabbrucci, Carlo Defortovo, Ivan Levrini, Gian Ruggero Manzoni, Maurizio Salabelle, Jean Talon, Mario Valentini.

"Almanacco delle prose. Il semplice", n. 3. Feltrinelli, 1996.
Testi di Paolo Bascheri, Ermanno Cavazzoni, Giacomo Cangemi, Anna Maria Ortese Ginevra Bompiani, Ugo Cornia, Paolo Ruffili, Wilmer accetti, Franco Arminio,
Alessandro Carrera, Emilia Cirillo, Gian Ruggero Manzoni, Gianni Celati, Ivan Levrini, Maurizio Salabelle, Pietro Ghizzardi, Giorgio Manganelli, Daniele Bennati, Giuseppe Rettighieri, Ettore Palestini, Anna Cattanìa.

Inoltre si segnalano per la particolare attenzione ai temi della "nuova narrativa" e per la pubblicazione di racconti di nuovi autori italiani, le seguenti riviste:

"Linea d'Ombra" (Via Gaffurio 4, 20124 Milano)
"La Rosa Purpurea del Cairo" (Via Barabino 21, 16100 Genova)
"Storie" (Via Suor Celestina 13/E, 00167 Roma)
"L'Immaginazione" (Via Braccio Martello 36, 73100 Lecce)
"Versodove. Rivista di letteratura" (Via Andreini 2, 40127 Bologna)
"Pulp - libri" (Via Bonfante 11, 27100 Pavia)
"Inchiostro. Rivista di storie e racconti da leggere e da scrivere" (Via Manin 5, 37122 Verona)

Il mestiere di scrittore

Essere o riessere. Conversazione con Gesualdo Bufalino (a cura di). Omicron, 1996.

Sul racconto. Il Lavoro Editoriale, 1989.
Testi di Vittorio Coletti, Angelo Guglielmi, Flavia Ravazzoli, Franco Rella, Alessandro Tamburini, Pier Vittorio Tondelli, Claudio Piersanti, Enrico Palandri, Giorgio Pressburger, Marco Lodoli.

CERAMI, Vincenzo. *Consigli a un giovane scrittore. Narrativa, cinema, teatro, radio.* Einaudi, 1996.

COCCHETTI, Maria Grazia. *L'autore in cerca di editore.* Editrice Bibliografica, 1996.

FRANCESCO, Giovanni (a cura di). *L'officina del racconto.* Nuova Compagnia Editrice, Forlì, 1996.
Conversazioni con Giuseppe Pontiggia, Paola Capriolo, Michele Mari, Aurelio Picca, Vincenzo Pardini, Nico Orengo, Carlo Fruttero, Andrea De Carlo, Vincenzo Cerami, Luca Doninelli.

GAGLIANONE, Paola (a cura di). *Il respiro quieto Conversazione con Susanna Tamaro.* Omicron, 1996.

PICCOLO, Francesco. *Scrivere è un tic. I metodi degli scrittori.* Minimum Fax, 1994.

PICONE, Generoso - PANZERI, Fulvio. *Tondelli. Il mestiere di scrittore.* Transeuropa, 1994.

La critica

CASINI, Bruno (a cura di). *Tondelli e la musica. Colonne sonore per gli anni Ottanta*. Tosca, 1994.

Cento romanzi italiani (1901-1995). Fazi, 1996.

D'ORIA, A. G. (a cura di). *Gruppo '93. Le tendenze attuali della poesia e della narrativa*. Manni, 1993.

FERRACUTI, Angelo (a cura di). *Paesaggi Italiani*. Transeuropa, 1993. Testi di Generoso Picone, Fulvio Panzeri, Massimo Raffaeli.

Gruppo '93. La recente avventura del dibattito teorico letterario in Italia. Manni, 1990.

PANZERI, Fulvio (a cura di). *Pier Vittorio Tondelli. Panta,* n. 2. Bompiani, 1992.

SPINAZZOLA, Vittorio (a cura di). *Pubblico 1987. Produzione letteraria e mercato culturale*. Rizzoli Milano Libri, 1987.

SPINAZZOLA, Vittorio (a cura di). *Tirature '91*. Einaudi, 1991.

SPINAZZOLA, Vittorio (a cura di). *Tirature '92*. Baldini & Castoldi, 1992.

SPINAZZOLA, Vittorio (a cura di). *Tirature '93*. Baldini & Castoldi, 1993.

SPINAZZOLA, Vittorio (a cura di). *Tirature '94*. Baldini & Castoldi, 1994.

SPINAZZOLA, Vittorio (a cura di). *Tirature '95*. Baldini & Castoldi, 1995.

SPINAZZOLA, Vittorio (a cura di). *Tirature '96*. Baldini & Castoldi, 1996.

AMMIRATI, Maria Pia. *Il vizio di scrivere*. Letture su Busi, De Carlo, Del Giudice, Pazzi, Tabucchi, Tondelli. Rubettino, 1991.

AMOROSO, Giuseppe. *La biblioteca di Shaharazad*. Narrativa italiana 1989, Morcelliana, 1990.

AMOROSO. Giuseppe. *La mappa della luna*. Narrativa italiana 1990, Morcelliana, 1991.

AMOROSO, Giuseppe. *La bussola e il sogno*. Narrativa italiana 1991, Morcelliana, 1992.

ANTONELLI, Carlo - DE LUCA, Fabio. *Discoinferno*.Theoria,1995.

BENUSSI, Cristina - GIULIO, Lughi. *Il romanzo d'esordio tra immaginario e mercato*. Marsilio, 1986.

CANALI, Luca. *Manuale ad uso degli scrittori esordienti*. Bompiani, 1988.

CARLONI, Massimo. *L'Italia in giallo. Geografia e storia del giallo italiano contemporaneo*. Edizioni Diabasis, 1994.

CESERANI, Remo. *Il romanzo sui pattini*. Transeuropa, 1990.

COLASANTI, Arnaldo. *La nuova critica letteraria nell'Italia contemporanea*. Guaraldi, 1996.

DE MICHELIS, Cesare. *Fiori di carta. La nuova narrativa italiana*. Bompiani, 1990.

GIACOMELLI, Roberto. *Lingua Rock. L'italiano dopo il recente costume giovanile*. Morano, 1988.

GIOVANARDI, Stefano. *La favola interrotta. Appunti di critica letteraria*. Transeuropa, 1990.

GUGLIELMI, Angelo. *Trent'anni di intolleranza (mia)*. Rizzoli, 1995.

LA PORTA, Filippo. *La nuova narrativa italiana. Travestimenti e stili di fine secolo*. Bollati Boringhieri, 1995.

PANZERI, Fulvio. *I nuovi selvaggi. Le condizioni del narrare oggi*. Guaraldi, 1995.

PARIS, Renzo. *Romanzi di culto. Sulla nuova tribù dei narratori e sui loro biechi recensori*. Castelvecchi, 1995.

PEDULLÀ, Walter. *Le caramelle di Musil*. Rizzoli, 1993.

PICCININI, Alberto. *Fratellini d'Italia*, Theoria, 1994.

SICILIANO, Enzo. *Romanzo e destini*. Theoria, 1992.

TANI, Cinzia. *Premiopoli*, Mondadori, 1994.

TANI, Stefano. *Il romanzo di ritorno. Dal romanzo medio degli anni sessanta alla giovane narrativa degli anni ottanta*. Mursia, 1990.

TRECCA, Michele. *Parola d'autore. La narrativa italiana contemporanea nel racconto dei protagonisti*. Argo, 1995.